YSBRYD RYGBI

YSBRYD RYGBI

YSGOL NEWYDD, GÊM NEWYDD, HEN DDIRGELWCH...

GERARD SIGGINS

Addasiad Gwenno Hughes

"Gwych." *Sunday Independent*

Gwasg Carreg Gwalch

Ganwyd GERARD SIGGINS yn Nulyn ac mae wedi byw yng nghysgod Lansdowne Road am y rhan fwyaf o'i oes. Bu'n mynychu gemau rygbi yno ers iddo fod yn ddigon bychan i'w dad ei godi dros y giatiau tro. Gohebydd chwaraeon yw ei waith ac mae wedi gweithio i'r *Sunday Tribune* am nifer o flynyddoedd. Mae ei ddilyniant i *Ysbryd Rygbi*, sef *Rhyfelwr Rygbi* a *Rebel Rygbi*, hefyd wedi'u cyhoeddi gan The O'Brien Press.

Cyhoeddwyd gyntaf yn Iwerddon dan y teitl *Rugby Spirit* yn 2012 gan yr
O'Brien Press,
© O'Brien Press
© Gerard Siggins

Argraffiad Cymraeg cyntaf: 2016
addasiad: Gwenno Hughes 2016

Rhif Llyfr Safonol Rhyngwladol:
978-1-84527-582-2

Cyhoeddwyd gyda chymorth Cyngor Llyfrau Cymru

Dylunio: Eleri Owen

Cyhoeddwyd addasiad Cymraeg gan Wasg Carreg Gwalch,
12 Iard yr Orsaf, Llanrwst, Dyffryn Conwy, Cymru LL26 0EH.
Ffôn: 01492 642031
lle ar y we: www.carreg-gwalch.com

Argraffwyd a chyhoeddwyd yng Nghymru

CYFLWYNIAD

Mae ffrindiau yn bopeth – dwi'n cyflwyno hwn i Martin McAllister am fod y ffrind gorau y gellwch chi ei gael.

CYDNABYDDIAETH

Diolch i Dad, Mam, Kieran Hickey a Martin Coonan am fy annog i ysgrifennu; diolch i Harry, Deryck, Sharon ac Andrew am eu help a'u cyngor; diolch i Jack, Lucy a Billy am fod yn rheng flaen i mi; a diolch i Martha – am bopeth.

PENNOD UN

Gwaethygodd y boen ym mol Owain Morgan wrth i'w dad yrru i fyny'r dreif. Efallai mai'r coed tal a bwysai dros y ffordd gul, neu efallai mai'r adeilad carreg llwyd a safai ym mhen draw'r ffordd oedd ar fai, ond cafodd cip cyntaf Owain o'i ysgol newydd ei ddifetha gan gwlwm annifyr yn ei stumog.

'Dacw'r cae rygbi,' dywedodd ei dad. 'Roedd Taid yn arfer bod yn dipyn o seren ar y cae ers talwm.'

'Ond doeddet ti'n fawr o gop efo chwaraeon, nac oeddet, Dad?' meddai Owain dan gellwair.

'Na, claddu 'mhen mewn llyfrau wnes i, a phaid ag anghofio mai dyna'r prif reswm pam rwyt ti yn yr ysgol,' atebodd ei dad fel mellten, gyda gwên fawr ar ei wyneb.

Parciodd Mr Morgan y car ym mhen draw rhes o geir mawr, pob un ohonyn nhw â dyddiadau cofrestru o'r flwyddyn neu ddwy ddiwethaf. Roedd gan Owain fymryn o gywilydd o'r ffaith nad oedd ei dad wedi newid ei gar ers degawd, bron, ond roedd yn deall fod arian yn brin wrth i'r teulu gynnal fferm fynyddig fechan yn sir Feirionnydd.

Roedden nhw wedi gadael Dolgellau am chwech y bore, gan stopio am fyrbryd sydyn ar y ffordd, ond prin roedden nhw wedi cyffwrdd â'u bwyd. Bu'r ddau'n sgwrsio ar y daith i Gaerdydd, gan drafod canlyniadau chwaraeon y penwythnos a hel atgofion am ddyddiau gorau'r haf hir, cynnes.

Ond teimlai'r cwbl fel atgof pell i Owain pan gamodd allan o'r car ac edrych i fyny ar yr arwyddair anferth oedd ar dalcen adeilad yr ysgol. Dyfalai Owain mai geiriau Lladin oedden nhw.

'*Victoria Concordia Crescit*,' taranodd llais uchel o'r tu ôl i Owain. 'Drwy gydymdrech y daw buddugoliaeth!'

Trodd Owain a gweld dyn bach moel yn cerdded tuag ato gan estyn ei law iddo. 'Bore da, Mr Morgan, ac mae'n rhaid mai ti, fy machgen i, ydi Owain Morgan.'

Edrychodd Owain ar y dyn o'i gorun i'w sawdl. Doedd neb yn ysgwyd llaw yn ei hen ysgol. Sylweddolodd fod ei geg yn llydan agored.

'Mr Hopcyn ydw i, a 'wy ddim yn cnoi,' gwenodd yr athro, pan estynnodd Owain ei law dde iddo o'r diwedd. 'Fi ydi prifathro Coleg Craig-wen. Croeso mawr i ti i'r ysgol. Fi ddysgodd dy dad, a 'wy'n gobeithio y byddi di gystal disgybl ag e ...'

Trodd clustiau ei dad yn binc llachar.

'... a chystal chwaraewr rygbi â dy dad-cu. Ro'n i'n ddisgybl blwyddyn gyntaf pan ddaeth e o fewn trwch blewyn i gipio Cwpan Cenedlaethol Ysgolion Cymru dan 16, ar 'i ben ei hun bach. Hwnna oedd un o'r perfformiade gorau welwyd ar Barc yr Arfau erioed. Roedden ni'n siŵr y byddai'n chwarae i Gymru ryw ddydd, ond wrth gwrs ...' Ymdawelodd Mr Hopcyn, cyn troi at dad Owain a holi, 'Shwt mae eich tad?'

'Ddim yn rhy dda,' atebodd tad Owain. 'Dydi ei iechyd ddim yn arbennig, a dydi o ddim yn mentro o'r tŷ ryw lawer y dyddiau yma.'

'Mae'n flin gen i glywed hynna,' meddai Mr Hopcyn. 'Cofiwch fi ato fe. Nawr 'te, Owain, bydd yn rhaid i ni dy wneud di'n gartrefol. Dere i mewn.'

Cerddodd Owain drwy'r drysau pren tywyll, gan gymryd cip arall ar yr arwyddair. 'Drwy gydymdrech y daw buddugoliaeth,' mwmialodd wrtho'i hun. 'Gobeithio ca i rywfaint o fuddugoliaeth, o leiaf.'

Y tu mewn, sgrialodd Mr Hopcyn ar draws y llawr pren sgleiniog tuag at ei stafell.

'Dyma fy swyddfa i. 'Wy'n gobeithio na fydd rhaid i ti ddod 'ma i 'ngweld i'n rhy aml,' cellweiriodd.

Gorfododd Owain ei hun i wenu.

'Nawr 'te, gad i ni weld beth sy 'da ni ar y gweill i ti,' dywedodd, gan agor ffeil gardfwrdd denau, frown. 'Ti'n ddeuddeg oed, felly fyddi di ddim yn dechrau yn yr ysgol uwch tan flwyddyn nesa. Fyddi di ym Mlwyddyn Saith, felly, a 'wy'n hyderus y byddi di'n serennu yn y tîm dan dair ar ddeg. Ym mha safle yn gwmws wyt ti'n chwarae?'

'Ym, safle mewnwr de,' atebodd Owain yn ansicr.

'Mewnwr de ... beth yw mewnwr de?' gofynnodd Mr Hopcyn mewn penbleth.

'Wel, mewn gêm bêl-droed ...'

'O, wela i – pêl-droed wyt ti wedi arfer ei chwarae,' meddai'r prifathro, gan grychu'i drwyn fel petai gyr o wartheg drewllyd newydd fynd heibio'i ffenest. 'Wel, dy'n ni ddim yn chwarae'r gêm 'na. Rygbi yw popeth fan hyn. Ond ti'n fachgen nobl, felly 'wy'n siŵr y byddi di'n iawn. Mae 'da ni dri thîm ym mhob blwyddyn, felly mae digon o gyfleoedd i ddysgu beth yw beth.'

'Iawn, syr,' dywedodd Owain. 'Dwi'n edrych 'mlaen.'

Ond mewn gwirionedd, doedd o ddim yn edrych ymlaen o gwbl. Roedd rygbi'n ddirgelwch iddo. Roedd yn gwybod popeth am Sam Warburton ac Alun Wyn Jones, wrth gwrs, ac fe gymeradwyodd yn frwd pan wnaeth Cymru'n dda ym Mhencampwriaeth y Chwe Gwlad y flwyddyn cynt. Ond doedd ganddo ddim clem am y safleoedd oedd ag enwau od fel 'bachwr' a 'blaenasgellwr', a doedd ganddo ddim syniad beth oedd eu rhan nhw yn y gêm.

Roedd wedi clywed bod ei daid yn arfer bod yn dipyn o seren ar y cae rygbi, ond doedd o byth eisiau siarad am hynny pan fyddai Owain yn ei holi. Gallai Taid fod yn un rhyfedd felly; roedd yn ddyn caredig, hael a chyfeillgar, ond ni hoffai siarad amdano'i hun, ac roedd wastad yn troi'r stori pan oedden nhw'n dechrau sôn am rygbi.

Yna, un diwrnod yn gynharach yn y flwyddyn, ar ôl i'r ddau wylio'r Scarlets yn chwarae yng Nghwpan Rygbi Ewrop mewn gêm gyffrous ar y teledu, gofynnodd Taid iddo a fyddai ganddo unrhyw ddiddordeb mewn chwarae'r gêm. Pan ddywedodd Owain y byddai, dywedodd ei daid y byddai'n gweld beth allai'i drefnu.

Y peth nesaf wyddai Owain oedd bod ei rieni'n dweud wrtho ei fod wedi cael ei dderbyn i Goleg Craig-wen yng Nghaerdydd, ac y byddai'n dechrau yno ym mis Medi.

Aeth yr haf heibio mewn niwl, ac wedi ambell ffarwél anodd â'i ffrindiau, roedd mewn ysgol ddieithr – braidd yn frawychus – dros gan milltir oddi cartref.

'Fydda i yn iawn, Dad,' meddai Owain. Sythodd i'w lawn dwf ac edrych ym myw llygad ei dad. 'Dwi'n addo gweithio'n galed,' meddai, cyn rhoi gwên fawr iddo.

'Iawn, wel, paid ag anghofio ffonio dy fam pan gei di gyfle. Oes gen ti ddigon o arian?'

'Oes, Dad. Paid â phoeni.'

Edrychodd ei dad ar y llawr. 'Wel, cymer ofal, a wela i di penwythnos nesa.'

Wrth i'w dad fynd am y car er mwyn troi am adref, brathodd Owain ei wefus, cyn cymryd anadl ddofn a throi i edrych ar yr adeilad llwyd unwaith eto.

I ffwrdd â chdi, Owain Morgan, meddai wrtho'i hun. *Hwn fydd 'cartre' am y saith mlynedd nesaf.*

Daeth o hyd i'w stafell heb drafferth, gan mai honno oedd y gyntaf ger y drws, ar lawr uchaf y prif adeilad. Y tu mewn, roedd chwe gwely gyda gobennydd lympiog a chwilt gwyrdd, hyll ar bob un. Roedd cesys a bagiau cit ar bob gwely, heblaw am yr un yn y gongl bellaf. Anelodd Owain am hwnnw.

Wrth iddo gerdded ar hyd y rhes, clywodd sŵn stryffaglu yn dod o dan un o'r gwelyau. Aeth ar ei gwrcwd a syllu i'r gwagle tywyll, lle gwelodd ben melyn blêr gyda chap gweu coch am ei ben.

'Tyrd allan, Lleucu, plis,' llefodd y ffigwr.

'Y, pwy ydi Lleucu?' gofynnodd Owain.

'O, sorri,' meddai'r bachgen. 'Lleucu yw fy llygoden i, ac mae hi ar goll.'

'Ro'n i wedi casglu hynny,' dywedodd Owain. 'I ble'r aeth hi?'

'Mi neidiodd o fy locyr a dianc. Dwi'n meddwl ei bod hi dan dy wely di.'

Dyna'r cwbl dwi'i angen, meddyliodd Owain, wrth iddo blygu ar ei bedwar i helpu ei gyd-letywr newydd.

Gwelodd Owain y llygoden fach frown a symudodd yn araf ond yn sicr tuag ati. Syllodd i fyw llygaid y llygoden, gan ei syfrdanu, cyn llamu ymlaen a'i dal drwy gau ei ddwylo o'i chwmpas fel cwpan.

'Waw, mae hwnna'n dipyn o dric,' dywedodd y bachgen. 'Ble dysgaist ti hynna?'

'Gartre,' atebodd Owain gan godi'i ysgwyddau. 'Dyna'r math o beth byddwn ni, hogiau fferm, yn ei wneud.'

'Diolch – roedd hynna'n cŵl iawn,' dywedodd y bachgen wrth estyn am ei lygoden o ddwylo Owain.

'Dim problem. Owain Morgan ydw i, gyda llaw. Dwi newydd gyrraedd.'

'O, ac Alun Huws dwi,' meddai'r bachgen. 'Glywon ni fod 'na fachgen newydd ar fin cyrraedd. Roedd Alvaro yn arfer cysgu yn fan hyn ond bu'n rhaid iddo fo fynd adre i Bortiwgal pan aeth ei dad o'n sâl.'

'Ddrwg gen i glywed hynna,' dywedodd Owain. 'Sut un oedd Alvaro?'

'Iawn, ond roedd yn crio dipyn ganol nos – gobeithio na fyddi di felly,' gwenodd.

'Na fyddaf, gobeithio,' chwarddodd Owain. 'Beryg bydd gen i hiraeth am adre, cofia, ond dwi'n amau a fydd o'n ddigon i wneud i mi grio.'

Cododd ei gês a'i fag chwaraeon ar y gwely. 'Dwi'n llwgu. Mae'n siŵr nad oes yna droli bwyd yn dod o gwmpas y stafelloedd,' meddai'n gellweirus.

'Y, na, ond mae gen i far o Bounty os hoffet ti ei rannu,' cynigiodd ei gyd-letywr.

Eisteddodd y ddau ar y gwely yn cnoi wrth i Owain edrych o gwmpas y stafell.

'Ers faint wyt ti wedi bod yma?' holodd.

'Pedair blynedd bellach,' atebodd Alun. 'Dydi o ddim yn rhy ddrwg os gwnei di griw da o ffrindiau. Mae yna rai bechgyn y dylet ti eu hosgoi, ond os gwnei di hynny, wnei di fwynhau. Wyt ti'n chwarae rygbi?'

'Dim eto,' meddai Owain, 'ond dwi'n barod i roi cynnig arni. Dwi erioed wedi dal pêl go iawn, cofia, ac mae rygbi yn beth mawr yma, tydi?'

'Anferth,' atebodd Alun. 'Mae'r athrawon i gyd yn gwirioni arno. Mae'r ysgol wedi bod yn eitha llwyddiannus yn y gorffennol, ond 'dan ni ddim wedi ennill y cwpanau ers tua wyth neu naw mlynedd. 'Dan ni wedi cael chwaraewyr eitha da, cofia, ond rhywsut 'dan ni byth yn cyrraedd y brig.'

'Ia, ges i'r argraff fod gan Mr Hopcyn fwy o ddiddordeb ym mha safle ro'n i'n chwarae nag yn fy sgiliau darllen a sgwennu!'

Chwarddodd Alun. 'Wel, mae'n siŵr fod ganddo obeithion mawr ar dy gyfer, o gofio be ydi dy gefndir di ...'

Oedodd Owain a throi i syllu ar ei gyd-letywr. 'Be wyt ti'n ei feddwl? Sut gwyddost ti am fy nghefndir i?'

Roedd yn amlwg fod Alun yn teimlo'n lletchwith. 'Sorri; dim ond newydd sylweddoli ydw i. Dywedodd y prifathro fod ŵyr Dewi Morgan yn ymuno â'n blwyddyn ni, a rhois i ddau a dau at ei gilydd a sylweddoli mai ti ydi o.'

'Ia, Dewi Morgan. Ti'n adnabod Taid hefyd?'

'Na. Dwi erioed wedi'i gyfarfod o. Ond mae hi wedi bod yn amhosib osgoi Dewi Morgan am y pedair blynedd diwethaf. Welaist ti mo'r arwydd?'

Trodd Owain a syllu wrth i Alun bwyntio at ddrws y stafell. Yno crogai plac pren sgleiniog ac arno'r geiriau 'Llofft Dewi Morgan'.

PENNOD DAU

Syllodd Owain ar enw ei daid, gan ryfeddu at y parch roedd o'n ei gael yng Nghaerdydd, pan nad oedd neb byth yn sôn am ei ddyddiau rygbi adref yn Nolgellau. Gwenodd wrth feddwl pa mor garedig oedd ei daid wrtho a pha mor braf oedd hi ei fod o'n cael ei barchu gan y bobl yma. Ond yna gwgodd wrth gofio cyn lleied a wyddai am ei yrfa ar y cae rygbi.

'Oeddet ti ddim yn gwybod am hynny?' gofynnodd Alun.

'Na, dydi Taid byth yn siarad amdano fo'i hun,' atebodd Owain.

'Wel, glywi di ddigon amdano fo yn fan hyn. Mae'r athrawon hŷn yn sôn amdano byth a beunydd.'

Wyddai Owain ddim beth i'w ddweud. Roedd ganddo fymryn o gywilydd fod y dieithryn yma'n gwybod mwy am ei daid na fo. Trodd y stori. 'Pryd byddwn ni'n dechrau chwarae rygbi?'

'Ar ôl yr ysgol fory, dwi'n meddwl,' atebodd Alun. 'Fyddwn ni'n ymarfer deuddydd yr wythnos fel arfer, ac yn chwarae gemau ar bnawn dydd Mercher a bore dydd Sadwrn. Dydw i ddim mor dda â hynny, felly dwi'n meddwl y bydda i'n dechrau ar y Cs. Beryg mai yn y fan honno y byddi di'n dechrau hefyd, Dewi neu beidio!'

Gwenodd Owain. 'Ia, dwi ychydig bach yn nerfus, a dweud y gwir. Fel ro'n i'n dweud, dwi ddim wedi cydio mewn pêl rygbi, hyd yn oed. Dwi wedi gwylio ychydig o gemau mawr ar y teledu, ond mae'r holl safleoedd yn fy nrysu i'n lân. Fedri di fy rhoi i ar ben ffordd?'

'Dim problem,' gwenodd Alun, gan gydio mewn llyfr ysgrifennu o'i locyr. 'Iawn, ti yn gwybod mai gêm pymtheg bob ochr ydi hi, dwyt? Wel, mae'r tîm yn cael ei rannu'n saith olwr ac wyth blaenwr. 'Y pac' ydi enw'r blaenwyr a phan maen nhw'n mynd i mewn i'r sgrym mae'r tîm yn sefyll fel hyn.' Tynnodd Alun lun syml gyda rhifau a llythrennau:

11 ACH

6 BOD

4 C

1 PPR

8 W

2 B

5 C

7 BOA

3 PPT

9 ME

10 MA

12 CM

15 CE

13 CA

14 AD

'Hawdd fel baw!' chwarddodd Alun wrth iddo weld yr olwg ddryslyd ar wyneb Owain.

'Dwi'n falch dy fod ti'n meddwl hynny. Dwi wedi drysu mwy nag erioed,' atebodd Owain.

'Mae o'n hawdd,' dywedodd Alun. 'Mae gan bob safle rif. Ond dydi o ddim fel pêl-droed lle mae'r hogiau'n gwisgo rhif 23 neu rif 14 neu beth bynnag. Os wyt ti'n flaenwr, mae gen ti rif rhwng 1 ac 8 ar dy gefn. Os wyt ti'n un o'r olwyr, rhif rhwng 9 a 15 fydd yno. Y rhif ar dy gefn di fydd yn penderfynu beth fyddi di'n ei wneud ar y cae.'

Nodiodd Owain, wrth i'r rhifau ddechrau gwneud synnwyr.

'Y llinell yna ydi'r rheng flaen, 1-2-3. Mae'r props yn sefyll o boptu i'r bachwr.' Clymodd Alun dri bys canol ei ddwylo i ddangos sut roedd y rhengoedd blaen yn cyfarfod.

'Mae gan y Prop Pen Tyn – PPT – wrthwynebydd bob ochr i'w ben. Does neb ar un ochr i'r un pen rhydd. Pan mae'r bêl yn mynd i mewn i'r sgrym, swydd y bachwr ydi bachu'r bêl yn ôl gyda'i sawdl – dyna sy'n egluro'r enw. Dwyt ti ddim eisio bod yn y rheng flaen – mae o'n lle caled i ddechreuwyr. Fel arfer maen nhw'n rhoi'r bechgyn byrraf, trymaf yn y fan yna, felly dylet ti fod yn iawn.

'Y tu ôl iddyn nhw mae'r rhifau 4 a 5, y ddau glo, neu'r ail reng. Nhw ydi'r bechgyn mwyaf, cryfaf. Eu swydd nhw ydi gwthio cyn galeted ag y gallan nhw er mwyn gwthio'r sgrym yn ei blaen. Nhw sy'n gwneud y rhan fwyaf o'r neidio yn y llinell hefyd.

'6-7-8 sydd yn y rheng ôl, neu 6-8-7, a dweud y gwir.'

'Ia, ro'n i'n crafu pen am hynna,' dywedodd Owain. 'Does dim llythyren wrth ymyl y rhif wyth.'

'Go dda, Owain,' meddai Alun. 'Mae'r rhif wyth yn cael ei alw yn wythwr, cred neu beidio. Mae o'n fachgen mawr, sy'n helpu i yrru'r sgrym. Fydd o'n dda iawn am drin y bêl hefyd – Taulupe Faletau sy'n gwneud hynny i Gymru a'r Dreigiau. Fo ydi fy hoff chwaraewr i.'

'Ydi, mae o'n eitha da,' dywedodd Owain yn gelwyddog, gan wneud nodyn i atgoffa'i hun i wneud gwaith cartref go sylweddol ar dîm Cymru.

'Blaenasgellwyr ydi'r ddau arall ac maen nhw'n cael eu galw'n fflancars hefyd. Mae ganddyn nhw wahanol swyddogaethau. Mae yna ochr dywyll, ti'n gweld, y *blindside*, fo ydi'r BOD – y blaenasgellwr ochr dywyll – a fo sy'n sefyll nesa at yr ystlys. Bydd o'n fawr ac yn daclwr cryf yn y timau proffesiynol. Bydd gan y blaenasgellwr ochr agored fwy o gyfle i ymosod, felly mi fydd o'n llai, yn gyflymach, a chyda dwylo da i ddal a phasio'r bêl.'

'Pam fod ganddyn nhw ddau enw, blaenasgellwyr a fflancars?' gofynnodd Owain.

'Dim syniad,' atebodd Alun. 'Cawson ni hyfforddwr o Seland Newydd am ychydig wythnosau y llynedd ac roedd yn siarad am "dorri'n rhydd" drwy'r adeg. Pan wnaeth o'n cyflwyno ni i'r maswr n'r "bumed ran o'r wyth cyntaf" – y "first five-eighth" – doedd gynnon ni ddim syniad am be roedd o'n sôn. Jest galwa nhw'n fflancars am rŵan ac efo dipyn bach o lwc wnawn nhw ddim gofyn i ti chwarae yn y safle yna.

'Berian Charles fydd ein hyfforddwr ni a beryg gwnaiff o dy roi di efo'r olwyr. Gawn ni sgwrs amdanyn nhw ar ôl ymarfer fory, os hoffet ti?'

'Ia, diolch,' dywedodd Owain, 'byddai hynny'n grêt. Felly be mae'r hogiau'n ei wneud am hwyl yn fan hyn ar bnawn Sul?'

'Ym ... gwylio rygbi ar y teledu fel arfer,' atebodd Alun.

'O diar, dwi'n gobeithio y gwna i ddod i ddeall y gêm 'ma,' ochneidiodd Owain.

Gwthiwyd drws y llofft yn agored a daeth pedwar bachgen i mewn.

'Haia Alun,' gwaeddodd y pedwar cyn gweld Owain.

'O, ti'n newydd,' meddai bachgen bach gyda gwallt coch cyrliog. 'Rhodri ydw i.'

'Owain ydw i, dda gen i eich cyfarfod chi i gyd. Dwi wedi cymryd y gwely gwag – gobeithio bod hynny'n iawn.'

'Dim problem,' llefodd y tri arall cyn cyflwyno eu hunain fel Cefin, Aneurin a Ffrancon, a dechrau gwagio'u bagiau.

'Maen nhw'n edrych yn hogiau grêt,' sibrydodd Owain wrth Alun.

'Ydyn, maen nhw,' atebodd Alun. 'Rŵan gad i ni fynd i chwilio am rywfaint o'r "hwyl" 'na roeddet ti'n sôn amdano.'

Arweiniodd Alun y ffordd i lawr y grisiau i stafell fawr, lle roedd bechgyn o bob siâp a maint. Roedd rhai'n gwylio rygbi ar y teledu, ond roedd y rhan fwyaf yn eistedd mewn criwiau bychain yn sgwrsio am yr haf ac am y flwyddyn oedd o'u blaen.

'Dyma'r stafell gyffredin iau. Mae'n blwyddyn ni yn cael ei defnyddio hi eleni – a dweud y gwir, dyma'r tro cynta i *mi* fod yma hefyd. Mae gweddill yr hogiau'n dod o ddosbarthiadau hyd at Flwyddyn Un ar Ddeg. Dim ond ar gyfer disgyblion Lefel A y mae'r stafell gyffredin hŷn. Maen nhw'n dweud bod bar yn y stafell, a'u bod nhw'n yfed cwrw yna, ond dwi erioed wedi cyfarfod neb sydd wedi bod yno.'

Edrychodd Owain ar y waliau o'i gwmpas lle roedd dwsinau o luniau o dimau rygbi'r ysgol. Tybiai fod Dewi Morgan yno'n rhywle. Tybed ym mha flwyddyn y bu o yma? Byddai'n rhaid iddo ofyn i Mr Hopcyn.

'Haia, Huws!' rhuodd un bachgen ar draws y stafell. 'Ti'n gwisgo cap gwirion ar y naw.'

'Mmm ... helô, Richie,' atebodd Alun yn llugoer.

'Pwy yw dy bartner newydd di 'te?' gofynnodd Richie.

Yn hytrach na chynnal sgwrs ar draws y stafell, cerddodd Alun draw at y gadair freichiau yn y gornel, lle eisteddai Richie Davies yn ei grys academi Caerdydd, gyda gang o fechgyn o'i gwmpas, pob un yn gwenu.

'Owain ydi hwn. Bachgen newydd. Mae o'n dod o Feirionnydd.'

'Waw, ionc go iawn,' chwarddodd Richie. 'Smo ni'n cael llawer o'r rheini yn yr ysgol 'ma.'

Syllodd Owain arno, heb ddweud gair.

'Dyw e ddim yn dweud llawer, ydi fe?' cilwenodd Richie.

'Dwi ddim yn un siaradus,' dywedodd Owain.

'Wel, rhyngddot ti a dy gawl,' meddai Richie. 'Mae'n siŵr y gwelwn ni ti ar y cael rygbi fory 'te, os nad oes 'da ti ddwy droed chwith?'

Chwarddodd gang Richie.

'Mi fydda i yno,' dywedodd Owain, gan droi oddi wrthyn nhw'n araf, wrth i Alun anelu'n gyflym am y drws.

'Crinc ydi'r Richie Davies 'na,' eglurodd. 'Mae ganddo geg fawr ac mae o'n pigo ar y plant fengach. Ond mae o'n slei, a dydi o byth yn cael ei ddal. Mae o'n un o'r rheini rwyt ti angen ei osgoi.'

'Fedra i weld pam,' meddai Owain. 'Dwi ddim yn hidio rhyw lawer amdano.'

'Fydd o'n anodd, cofia,' ochneidiodd Alun. 'Fo ydi'r chwaraewr rygbi gorau yn ein blwyddyn ni ac mae o'n siŵr o gael ei wneud yn gapten yr 13As.'

Dangosodd Alun yr ysgol a'r gerddi i Owain, gan awgrymu llwyth o lwybrau a chuddfannau diddorol iddo, ynghyd â llefydd i'w hosgoi. Gorffennodd y daith yn y ffreutur anferth, oedd wrthi'n agor ar gyfer swper cynta'r tymor newydd. Ymunodd y ddau â'u cyd-letywyr am swper syml, di-flas, o gig porc. Gwnaeth hyn i Owain feddwl am y cinio rhost hyfryd y byddai ei fam yn ei weini gartref yn Nolgellau.

Ar ôl bwyta, anelodd y chwech yn ôl i'w llofft, gan dorri gwynt a thynnu coes.

'Mae'r golau'n cael ei ddiffodd am naw i'n blwyddyn ni,' meddai Cefin, 'felly gwna'n sicr dy fod ti'n barod am dy wely neu fyddi di'n baglu yn y tywyllwch. A phaid â chael dy ddal y tu allan i'r ysgol ar ôl naw neu fydd hi wedi canu arnat ti.'

Setlodd Owain a sgwrsio gydag Alun, oedd â'r gwely nesaf ato. Bu'n ddiwrnod difyr, llawn, a byddai fory hyd yn oed yn fwy felly. Roedd ei feddwl yn gwibio gymaint fel ei bod hi'n syndod bod Owain wedi cysgu o gwbl.

PENNOD TRI

Aeth diwrnod cyntaf Owain yng Ngholeg Craig-wen heibio fel y gwynt. Roedd hi'n rhyfedd cael athro gwahanol ar gyfer pob pwnc, ac fe roddon nhw i gyd sylw arbennig iddo fel y 'bachgen newydd', ond roedd pob athro'n glên iawn wrth i bawb arfer â'r flwyddyn ysgol newydd.

Glynodd Owain wrth ei gyd-letywyr newydd a dweud dim llawer mwy nag ambell 'helô' wrth weddill y dosbarth.

Hanes oedd gwers ola'r dydd ac roedd Owain eisoes wedi dechrau dylyfu gên cyn i'r athro gerdded i mewn i'r dosbarth. Doedd o ddim wedi arfer â'r diwrnodau ysgol hir yma ac roedd o bron â thorri'i fol eisiau rhywfaint o awyr iach a chyfle i redeg o gwmpas.

'Nefi, dyna bâr o donsils iach,' meddai Mr Mathews yr athro, oedd newydd ddod i'r drws.

Cochodd Owain.

'Fedra i dy sicrhau di na fyddi di'n dylyfu gên erbyn diwedd fy nosbarth hynod gyffrous i,' gwenodd yr athro. 'A chdi, siŵr o fod, ydi'r Morgan iau.'

'Ia, syr,' dywedodd Owain am yr wythfed tro y diwrnod hwnnw.

Cododd Richie Davies ei ben a throi i syllu ar Owain. Edrychai'n ddryslyd.

'Mae'n rhaid i mi ddweud ei bod hi'n fraint cael dysgu aelod arall o deulu mor ddisglair,' meddai'r athro.

Edrychai Richie yn fwy dryslyd fyth.

21

'Wyddoch chi, fechgyn ifanc, 'mod i wedi chwarae yn safle'r mewnwr unwaith, i'r maswr gorau welodd yr ysgol yma erioed?' nododd yr athro.

'Gwyddom, syr,' meddai'r dosbarth fel un. 'Rydych chi'n dweud y stori yna wrthyn ni *bob blwyddyn*.'

'Wel, efallai na wyddoch chi hynny eto, ond mae ŵyr yr enwog Dewi Morgan yn eistedd yn eich plith.'

Trodd y dosbarth fel un a syllu ar Owain. Teimlodd yntau ei wyneb yn mynd yn boeth ac ofnai ei fod bron yn biws erbyn hyn.

'Waw,' dywedodd cwpwl o fechgyn. 'Am cŵl.'

'Tyrd â'i hanes o i ni, Owain,' meddai Cefin, gan fachu ar y cyfle i beidio agor ei lyfr am deithiau Gerallt Gymro.

Roedd Owain eisiau i'r ddesg agor a'i lyncu. Trodd ei wyneb o goch i wyn.

'Iawn, fechgyn – llai o stŵr, plis,' dywedodd yr athro, gan synhwyro anniddigrwydd Owain. 'Bydd digon o gyfle i glywed am 1964 ac am dîm Cwpan Ysgolion Cymru dan 16 rywdro eto. Ond am rŵan, gadewch i ni droi at dudalen gyntaf eich llyfr a darllen am y cnaf hoffus, Gerallt Gymro. Os bihafiwch chi, gewch chi hanes y rhannau gwaedlyd fyddai byth yn cael eu cynnwys mewn llyfr ar gyfer Blwyddyn Saith gen i.'

Mwynhaodd Owain ddosbarth Hanes lliwgar Mr Mathews yn fawr, pwnc nad oedd o wedi dangos unrhyw ddiddordeb ynddo cyn hyn.

Wrth i'r wers Hanes ddod i ben, gofynnodd yr athro iddo aros ar ôl am ychydig.

'Ro'n i eisio ymddiheuro am dy roi di mewn lle cas fel yna. Dylen i wybod yn well. Dydw i heb weld Dewi ers blynyddoedd bellach, ond dwi'n amau nad ydi o wedi dweud ei hanes ar y cae rygbi wrthat ti. Dydi o 'rioed wedi bod yn un am ganmol ei hun. Dyn gwylaidd, preifat iawn ...' meddai'n ddistaw. 'Reit, i ffwrdd â chdi at Mr Charles. Mae o'n hyfforddwr penigamp ac mi ddaw o hyd i'r genynnau rygbi sydd yn dy wacd di. Pob lwc, a gad i mi ymddiheuro i ti unwaith eto.'

Taflodd Owain ei lyfrau ar ei ddesg, cyn cydio'n ei fag cit a rhuthro i'r cae chwarae lle roedd rhai o'i ddosbarth eisoes yn taflu pêl o gwmpas.

Roedd dyn anferth gyda chlipfwrdd yn sefyll y tu allan i'r stafell newid, yn rhoi tic wrth enwau'r bechgyn wrth iddyn nhw redeg i'r cae. 'Davies, Huws, Mainwaring, Gwynfil, Jones, Vincent ... Dyna bawb, 'wy'n credu ...'

Carlamodd Owain heibio iddo i'r stafell newid.

'Shwmai! Pwy wyt ti a pham wyt ti'n hwyr?' gofynnodd yr hyfforddwr.

'Owain Morgan ydw i, syr. Sorri, ond gadawodd Mr Mathews fi ar ôl yn y wers a ...'

'Wel, Morgan,' torrodd yr hyfforddwr ar ei draws, 'smo hwnna'n ddechrau da, ydi fe? Mewn trwbwl gyda'r athrawon ar dy ddiwrnod cynta ac wedyn yn hwyr ar gyfer ymarfer rygbi. Os yw chwaraewr yn hwyr i un o fy sesiynau ymarfer i, mae e'n cael ei ollwng i'r tîm islaw yn awtomatig. Wrth gwrs, dyw hynny ddim yn berthnasol i ti gan dy fod di'n dechrau yn yr 13Cs. Ond paid mentro bod yn hwyr *byth* 'to.'

Agorodd Owain ei geg i'w ateb cyn penderfynu peidio.

Erbyn iddo redeg ar y cae, roedd Mr Charles eisoes wedi rhannu'r bechgyn yn dri grŵp o tua ugain. Aeth Owain tuag at

y trydydd a'r mwyaf o'r grwpiau, oedd yn cynnwys Rhodri ac
Alun, a'r nifer mwyaf o fechgyn mewn sbectol a welodd o
mewn unrhyw dîm chwaraeon erioed.

'Dwi'n falch o gael rhywun o gefndir rygbi cystal ar ein
tîm bach ni,' meddai Alun, gan dynnu coes Owain wrth iddo
ymuno â'r 13Cs.

'Olreit, setlwch nawr,' rhuodd Mr Charles. 'Croeso 'nôl i
chi i gyd, a chroeso arbennig i'n seren 13Cs newydd ni, Owain
Morgan.'

Rhythodd Owain ar Richie Davies oedd yn cilwenu arno
o'r grŵp cyntaf.

'Or gorau, gan mai heddi yw diwrnod cynta'r tymor, ar ôl i
ni dwymo fe gawn ni gêm ymarfer rhwng yr As a'r Bs. 'Wy'n
gobeithio eich bod chi i gyd wedi ymarfer eich sgiliau trin pêl
dros yr haf. Gymra i olwg ar yr 13Cs i weld a oes tamed bach o
dalent 'wy heb sylwi arni.'

Ar ôl i'r bechgyn gynhesu, gyrrodd Mr Charles yr 13Cs i'r
ail gae a gofyn i rywun o Flwyddyn Un ar Ddeg ddyfarnu'r
gêm rhwng 13A a 13B.

'Nawr, bois, rhaid i chi gofio nad ydyn ni'n chwarae rygbi
mini rhagor. Ry'n ni'n chwarae'r gêm iawn – neu mor agos â
phosib at y gêm iawn. Bydd tîm C yn chwarae un gêm yr
wythnos a 'wy'n disgwyl i chi i gyd ddod i bob sesiwn ymarfer.
Mae'r ysgol 'ma yn mynd i gipio Cwpan Ysgolion Cymru yn y
blynyddoedd nesa, ac er ei bod hi'n annhebygol iawn y bydd
unrhyw un ohonoch chi ar y tîm, mae hi'n bwysig ofnadw eich
bod chi'n gweithio'n galed ar wella eich gêm er mwyn i'r ysgol
gael mwy o gryfder a dyfnder.'

'Calonogol, tydi?' sibrydodd Owain wrth Alun.

'Reit, gadewch i ni eich rhannu chi'n flaenwyr ac olwyr,'
dywedodd Mr Charles, gan rannu'r bechgyn yn ddau grŵp.
Cafodd Owain ei yrru i gyfeiriad Alun a Rhodri.

'Be mae hyn yn ei olygu, hogiau?' gofynnodd.

'Ti yn yr olwyr efo ni,' atebodd Rhodri. 'Mae o'n llawer
haws na bod yn y ffrynt efo'r blaenwyr gyda dy ben yn sownd
rhwng dau ben-ôl.'

'Reit, flaenwyr – bant â chi at Mr Dafis fan 'co. Wnaiff e
eich rhoi chi ar ben ffordd. Y gweddill ohonoch chi, dewch 'da
fi.'

PENNOD PEDWAR

Casglodd Mr Charles olwyr yr 13Cs at ei gilydd yng ngwaelod y cae rygbi.

'Reit bois, ry'n ni'n mynd i ffurfio dwy res o olwyr ac ymarfer ychydig o ddriliau rhedeg a phasio. Dim byd ffansi; cadwch bethau'n syml.'

Rhannodd bentwr o festiau gwyrdd ac oren, a chyfeirio'r chwaraewyr i'w safleodd, cyn i bawb gymryd eu lle.

'Morgan, cer di i safle'r cefnwr.'

Oedodd Owain, gan ddyfaru bod Alun wedi dechrau ei wers rygbi neithiwr drwy sôn am y blaenwyr.

'Ble mae hwnnw, syr?'

'Jiw, ti bach yn ddi-glem, nag wyt ti?' dywedodd Mr Charles. 'Ti yn y cefn yn fan 'co, reit yn y canol. Hanner y cae fyddwn ni'n ei ddefnyddio, felly cer i sefyll ar y llinell hanner i ddechrau.'

Taflodd yr athro'r bêl i Rhodri, y mewnwr. Taflodd yntau hi i'r maswr, a thaflodd hwnnw hi i'r canolwr mewnol. Teithiodd y bêl ar hyd y llinell ôl, allan i'r asgellwr, cyn teithio yr holl ffordd yn ôl unwaith eto. Wedi dau neu dri chynnig pasiwyd y bêl i dîm Owain a gwnaethon nhw yr un ymarfer.

Pan gafodd Owain afael yn y bêl am y tro cyntaf, synnodd pa mor hawdd oedd ei dal a'i phasio. Er gwaethaf ei siâp lletchwith, ffitiai'n gyfforddus yn ei freichiau, cyn belled â bod rhywun ddim yn ceisio'i chipio. Efallai na fyddai pethau cynddrwg wedi'r cwbl.

Gwnaeth cwpwl o'r bechgyn lanast o'u pasys a gollwng y bêl, ond roedd Owain yn falch ofnadwy ei fod o wedi gwneud popeth yn iawn hyd yma.

'Reit, 'wy'n moyn i'r tîm festiau oren wneud hynna nawr, tra mae'r tîm gwyrdd yn amddiffyn. Dim ond rygbi twtsh nawr, dim byd rhy galed,' meddai Mr Charles.

Aeth y bêl ar hyd y llinell unwaith eto, gyda'r chwaraewyr yn gorfod pasio'r bêl y munud roedd un o'r tîm gwyrdd yn eu cyffwrdd. Roedd Owain yn gallu symud yn gyflym a llwyddodd i stopio'r rhan fwyaf o'r ymosodiadau'n syth.

'Iawn, gadewch i ni newid pethe o gwmpas, bois,' gwaeddodd yr hyfforddwr. ''Wy'n moyn gweld tamed bach mwy o ymroddiad gan bawb.'

Daeth Edward Robinson, bachgen nerfus yr olwg a maswr y tîm gwyrdd, dan bwysau gan ei wrthwynebydd, gan hyrddio'r bêl yn galed ac uchel dros ei ysgwydd dde. Bu'n rhaid i'r canolwr mewnol lamu i'r awyr i geisio cyrraedd y bêl, ond y cwbl lwyddodd i'w wneud oedd gwthio'r bêl yn uwch i gyfeiriad y cefnwr.

Synhwyrodd Owain fod y chwaraewyr oren yn carlamu tuag ato, a llamodd i'r awyr gyda chic sawdl bwerus. Cynhyrfodd gymaint fel na lwyddodd i wneud dim i rwystro'r hyn ddigwyddodd nesaf.

Neidiodd Owain, cydio yn y bêl a'i dal at ei frest, gan ei rheoli'n daclus wrth lanio ar ei draed, ac mewn un symudiad chwim ergydiodd y bêl ddeg llath ar hugain o dan y croesfar, i'r gornel uchaf ar y dde. Petai gôl-geidwad rhwng y pyst, fyddai ganddo ddim gobaith ei dal ... A dim ond wrth weld nad oedd rhwyd yng nghefn y pyst y sylweddolodd

Owain nad oedd ar faes y bêl gron wedi'r cyfan!

'O na, be oedd hynna?' gofynnodd Alun drwy'i ddannedd.

'Beth wyt ti'n ei wneud?' gofynnodd Mr Charles, ar dop ei lais. 'Nage Stadiwm Dinas Caerdydd yw fan hyn!'

Cuchiodd Owain a theimlai'n wirion, yn arbennig pan glywodd ruo chwerthin ar yr ystlys, lle roedd yr 13As a'r Bs yn gwylio.

'Mwwww' gwawdiodd Richie Davies, wrth i weddill y criw ymuno gan wneud synau anifeiliaid fferm.

'Sorri syr, wnes i anghofio ble roeddwn i am eiliad,' cyfaddefodd Owain.

Oedodd Mr Charles a syllu ar Owain. 'O'r gorau, jest cofia taw rygbi rwyt ti'n ei chwarae nawr. Mae tipyn o waith i'w wneud 'da ti 'to, mae'n amlwg.'

Trodd tuag at y bechgyn swnllyd ar yr ystlys. 'Olreit, bois, mae'r sioe drosodd. Ailgydiwch yn yr ymarfer. Bydd ymarfer ychwanegol i'r crwt arafaf.'

Trodd yr hyfforddwr yn ôl at y Cs. 'Allwch chi roi'r gorau iddi am heddi. Rydych chi wedi gwneud argraff arna i – mae 'na obaith i rai ohonoch chi. Morgan, tyrd i 'ngweld i ar ôl i ti wneud dy waith cartre.'

Cuchiodd Owain unwaith eto, gan deimlo bod ei ddiwrnod cyntaf yng Nghraig-wen yn mynd o ddrwg i waeth.

Ddywedodd o ddim gair yn y stafell newid a gwrthododd ymateb i dynnu coes ysgafn Rhodri. Arhosodd Alun ar ôl gydag o, wedi i'r lleill adael.

'Ti'n iawn, Owain? Roedd be wnest ti 'chydig bach yn wirion ond roedd yn reit anhygoel hefyd. Cod dy galon. Bydd pethau'n haws o hyn ymlaen.'

Cododd Owain ei war gan gadw'i deimladau iddo'i hun wrth i'r ddau gerdded yn ôl i'r ysgol.

Roedd y gwaith cartref yn ddigon hawdd a dim ond ychydig bach o waith sgwennu oedd yn rhaid ei wneud, gan mai dyma ddiwrnod cyntaf y tymor. Fodd bynnag, drwy gydol yr amser astudio, y cwbl allai Owain feddwl amdano oedd ei ffwlbri wrth roi'r naid i'r awyr i reoli'r bêl uchel.

'Er,' meddai dan chwerthin wrtho'i hun, 'roedd hwnna'n dipyn o gôl. Byddai pawb wedi gwirioni petawn i wedi gwneud hynna dros Ddolgellau yng ngêm derfynol y sir.'

PENNOD PUMP

Cododd Owain a dylyfu gên. 'Gorau po gynta y gwna i hyn.' Gwenodd ar Alun, a dymunodd hwnnw bob lwc iddo.

Sgrialodd Owain i lawr y grisiau i'r llawr gwaelod, lle roedd stafell yr athrawon, y drws nesaf i stafell y prifathro. Cnociodd unwaith ac agorodd y drws yn syth.

'Noswaith dda, Morgan,' meddai'r hyfforddwr rygbi, oedd ben ac ysgwydd yn uwch na fo. 'Gad i ni fynd am dro.'

Cerddodd Mr Charles drwy'r brif fynedfa tuag at y cae rygbi. Oedodd ger yr ystlys agosaf. 'Cawson ni'n dau ddechrau gwael heddi, felly gad i ni anghofio am hynny. Fel ti'n gwybod, fy enw i yw Berian Charles, a fi sy'n gyfrifol am hyfforddi rygbi hyd at dîm y Cwpan Iau. Fydda i ddim yn gweld llawer mwy o'r 13Cs a bod yn onest, ond wedi dweud hynny, fyddi di ddim chwaith, sa i'n credu.'

Ebychodd Owain, 'Wel, wnes i fwynhau chwarae efo nhw. Maen nhw'n griw da o fechgyn'

''Drycha, Morgan, 'wy'n credu'n gryf taw cael eu geni mae chwaraewyr rygbi gwych, nid cael eu gwneud. Wyddost ti'r chwaraewyr gwych sy wedi dod drwy fan hyn? Tynnodd pob un ohonyn nhw fy sylw i ar eu diwrnod cynta 'ma. Hyd yn oed yn ystod dy ... ym ... dy *foment wallgo* di heddi, wnest ti ddangos talent arbennig ar gyfer dwy agwedd bwysig iawn o'r gêm, sef dal a chicio. Unwaith gwnei di setlo a dysgu'r gêm, wna i dy ddyrchafu di i'r Bs. 'Wy'n disgwyl i ti fod yn yr 13As erbyn y Nadolig.'

Syllodd Owain ar ei esgidiau. 'Wel, syr, falle eich bod chi wedi dyfalu mai dyna'r tro cynta erioed i mi chwarae rygbi. Wn i ddim a ydw i'n dda i unrhyw beth.'

'Gwranda, Morgan,' atebodd yr hyfforddwr. 'Fel pawb arall sydd yn yr ysgol 'ma, rwy wedi clywed yr holl hanesion am dy dad-cu. Os taw cael eu geni mae chwaraewyr rygbi gwych, wel, mae gen ti fantais dros bawb arall. Fodd bynnag, bydd rhaid i ni ddangos i ti beth yw beth.' Tynnodd lyfr bach gwyrdd o'i boced. 'Mae hwn damed bach yn hen a does dim o'r rheolau arbrofol ynddo fe – a dweud y gwir, 'wy'n credu ei fod e'n dal i ddweud taw pedwar pwynt yw cais, a daeth hynny i ben tua ugain mlynedd yn ôl – ond all e roi'r rheolau sylfaenol i ti.'

Rhoddodd y llyfr i Owain ac edrychodd hwnnw ar y clawr blêr. *Rygbi i Chwaraewyr Ifanc: Canllaw gan Arfon Mathews.*

'Dy athro Hanes di, Mr Mathews, ysgrifennodd e,' eglurodd yr hyfforddwr. 'Roedd e'n chwaraewr arbennig yn ei ddydd.'

Diolchodd Owain i Mr Charles ac addo gofalu am y llyfr.

'Alli di ei gadw e os wyt ti moyn. Y dyddie 'ma mae 'da ni focsys o DVDs, ffolderi a phecynne o weithgareddau gaiff eu hanfon bob tymor gan Undeb Rygbi Cymru, ond 'wy'n credu bod llyfr Mr Mathews yn sylfaen dda i grwt sy'n newydd i'r gêm. Nawr 'te, bant â ti a wela i di yn y sesiwn hyfforddi nos Fercher.'

Trodd Mr Charles a cherdded i'w gar oedd wedi'i barcio ar y palmant. Gwenodd Owain wrth sylweddoli ei fod yr un fath yn union â char ei dad. Efallai fod yna deuluoedd a phobl debyg i'w deulu ef yng Nghaerdydd wedi'r cwbl.

Dringodd Owain i fyny'r grisiau fesul dwy wrth iddo anelu am ei stafell, a'r llyfr bach gwyrdd yn ei ddwylo.

Cyffyrddodd Owain enw ei daid ar y plac a sibrwd 'diolch' cyn agor y drws.

'Iawn, mêt?' meddai Alun wrth iddo gerdded i mewn. 'Sut aeth hi?'

'Wel ...' dechreuodd Owain. 'Dwi'n dal ddim yn siŵr. Ro'n i'n meddwl 'mod i am gael pryd o dafod, ond yn lle hynny, ddywedodd o 'mod i'n chwaraewr reit dda. A rhoddodd o lyfr i mi!'

Lledodd llygaid Alun. 'Am lwcus,' chwarddodd. 'Mae Berian Charles yn gallu bod yn galed iawn ar unrhyw un nad ydi o'n ei hoffi. Mae'n edrych fel bod dy lwc di'n para.'

'Ydi, ond rhoddodd o fwy o waith astudio i mi,' cwynodd Owain, gan daflu'r llyfr bach gwyrdd ar y gwely. 'Tybed alli di fy rhoi i ar ben ffordd am be mae'r olwyr yn ei wneud, Alun? Byddai hynny wedi bod yn fwy defnyddiol i mi heddiw na'r stwff am y blaenwyr.'

'Ia, ro'n i'n meddwl hynny pan oeddet ti'n gwneud dy stumiau Aaron Ramsey ...'

'Aaron Ramsey? Chwarae yng nghanol y cae mae o. Oes yna neb sy'n medru enwi blaenwyr tîm Cymru yma? Ar flaen y llinell ymosod ydw i pan fydda i'n chwarae pêl-droed yn Nolgellau ...'

'Wel,' meddai Alun, 'waeth i ti anghofio'r stwff yna i gyd tan haf nesa. Dinas rygbi ydi hon ac rwyt ti ar fin dod yn ddinesydd cyflawn. Wna i lun i ddangos i ti sut mae'r olwyr yn sefyll unwaith eto,' meddai gan estyn am lyfr ysgrifennu arall.

'Felly, 15 ydi'r cefnwr, y safle roeddet ti'n chwarae heddiw.'

'Mae'n rhaid i'r bechgyn sy'n chwarae yn y fan yna fedru

15 C

11 ACH

9 ME

10 MA

12 CM

13 CA

14 AD

dal y peli uchel ac mae'n rhaid iddyn nhw gael cic dda er mwyn medru clirio'r bêl. Yna daw'r llinell dri chwarter,' meddai, gan dynnu llinell rhwng rhifau 14, 13, 12 ac 11. Y rhai ar y tu allan ydi'r rhai cyflym fel arfer – yr asgell chwith a'r asgell dde, ac mae'r rhai sydd yn y canol yn ganolwyr. Edrych, maen nhw'n cael eu galw'n Ganolwr Mewnol a Chanolwr Allanol.

'Mae'r Canolwr Mewnol yn cael ei alw'n hynny achos ei fod o jest y tu mewn pan mae'r canolwr allanol yn pasio'r bêl yn ei hôl.

'Mae'r pâr yna, sef 9 a 10, yn cael eu galw'n hanerwyr,' meddai, gan dynnu llinell arall. 'Nhw yw'r cyswllt rhwng yr olwyr a'r blaenwyr ac mae'r timau'n rheoli'r gêm o'r fan yna, fwy neu lai.

'Y rhif 9 yw'r mewnwr ac mae o'n chwaraewr bach sydyn, fel arfer. Y fo sy'n rhoi'r bêl yn y sgrym ac yn ei chasglu pan ddaw hi allan ar ei ochr o. Mae o'r un fath ar ôl llinell hefyd. Rhaid iddo fod yn gyflym a chaled i osgoi y blaenwyr mawr fydd yn taranu tuag ato.'

'O ia, dyna be mae Gareth Davies yn ei wneud i'r Scarlets, yndê?' gofynnodd Owain.

Gwenodd Alun. 'Ia, mae o'n chwaraewr da iawn.'

Trodd yn ôl at ei lun. 'Wedyn mae gynnon ni'r rhif 10, y maswr. Fo sy'n rheoli'r ffordd mae'r tîm yn chwarae. Cyn belled â bod y mewnwr yn cael y bêl yn ôl ato'n sydyn, all o wneud yr holl benderfyniadau ynglŷn â chicio, rhedeg neu basio. Os oes gen ti faswr da, mae gen ti obaith cael tîm arbennig o dda. Mae Cymru a'r Gweilch wedi cael Dan Biggar dros y blynyddoedd diwethaf 'ma, ac edrycha pa mor llwyddiannus ydyn nhw. Ac mae Sam Davies a Rhys Patchell yn dynn ar ei sodlau erbyn hyn.'

Nodiodd Owain, gan adnabod enw Biggar.

'Welaist ti'r ffordd gwnaeth Charles wneud i ni basio'r bêl ar hyd y llinell heddiw? All hynny fod yn anhygoel mewn gêm. Jest cael y bêl allan, curo eu holwyr nhw a chyda lwc, cael y bêl allan i'n rhedwr cyflymaf ni ar yr asgell, fydd yn gallu hedfan dros y llinell am gais. Dyna'r ddamcaniaeth, beth bynnag.'

'Felly pa safle wyt ti'n meddwl fydd o am i mi ei chwarae?' holodd Owain.

'Wn i ddim. Fyddet ti'n gwneud cefnwr reit dda, ond efo dy faint a dy ddwylo di, fyddet ti'n gwneud canolwr da hefyd, neu faswr, hyd yn oed, pan fyddi di wedi dod i ddallt y dalltings.'

Dylyfodd Owain ei ên. 'O, sorri, ond mae hi wedi bod yn ddiwrnod hir.'

'Wn i,' meddai Alun. 'Dwi wedi blino hefyd.'

Yn y diwedd, neidiodd Owain i mewn i'w wely cyn i weddill ei gyd-letywyr ddod i fyny'r grisiau. Agorodd dudalen gyntaf y llyfr bach gwyrdd a darllen y teitl unwaith eto. Ond lwyddodd o ddim i gyrraedd y gair 'Mathews', hyd yn oed, cyn i'w lygaid gau. Roedd ei ddiwrnod cyntaf o wersi ar ben.

PENNOD CHWECH

Teimlai Owain yn gartrefol yng Ngholeg Craig-wen mewn dim o dro. Roedd y gwersi'n ddiddordol – heblaw am Fathemateg – a doedd o erioed wedi deall y pwnc hwnnw, beth bynnag. Roedd ei gyd-fyfyrwyr yn griw da hefyd. Alun oedd ei ffrind gorau, ac roedd o wastad yn llwyddo i'w gadw rhag unrhyw helynt.

Golygai hynny Richie Davies fel arfer, ac roedd yntau a'i gang o bedwar dilynwr yn prysur gael enw drwg am fwlio disgyblion y dosbarthiadau iau. Roedd gan Alun allu anhygoel i wybod ble yn union roedd Davies a'i gang ar unrhyw adeg, a gwyddai sut i'w hosgoi hefyd.

Yn anffodus, roedd hi bron yn amhosib i Owain osgoi Davies yn yr ymarfer rygbi. Roedd y gang yn dal i wneud synau anifeiliaid wythnosau wedi i Owain wneud y camgymeriad ar y cae rygbi ar ei ddiwrnod cyntaf, ac roedd hynny'n mynd ar ei nerfau.

Un prynhawn dydd Mercher, roedd Owain wrthi'n clymu careiau ei esgidiau rygbi pan gerddodd Davies i mewn i'r stafell newid.

'A, Ffermwr Morgan!' cilwenodd. 'Ddylet ti ddim fod yn gwisgo welis?'

Cofiodd Owain am gyngor Alun ac anwybyddodd y sylw.

'O, anghofiais i nad wyt ti'n un siaradus. Wel, jest cofia di fod gan Richie Davies fwy o dalent rygbi na'r un o dy deulu "disglair" honedig di – beth bynnag ddywedith yr hen ffŵl 'na,' meddai Richie, cyn troi ar ei sawdl a gadael.

Dechreuodd tymer Owain gorddi, ond brathodd ei wefus, cyn rhedeg i'r cae rygbi.

'Reit, ddosbarth,' cyhoeddodd Berian Charles. ''Wy'n mynd i gymysgu olwyr o'r As a'r Bs ar gyfer yr ymarfer 'ma a dod â Morgan i mewn fel cefnwr ar y tîm oren. Pwy yw cefnwr y Bs? O ie, Selyf, cer di i'r cae pellaf at y Cs.'

Roedd tawelwch annifyr cyn i Selyf – un o gang Davies – redeg ymaith. Rhythodd Richie ar Owain fel petai'r bachgen newydd wedi sarhau ei nain.

Aeth yr ymarfer heibio'n sydyn, gydag Owain yn mwynhau bod yng nghanol chwaraewyr y llinell ôl fedrus. Roedd yn ddigon cyflym i osgoi y mwyafrif o'r tacls, ond roedd yn cael mwy o drafferth wrth drio gwneud ymdrech i atal y gwrthwynebwyr.

Wrth i'r chwaraewyr adael y cae ar ôl y sesiwn, clywodd Owain fwmial y tu ôl iddo.

'Paid *byth* â dwyn lle un o fy mêts i 'to, yr ionc,' hisiodd Davies.

Cerddodd Owain yn ei flaen, gan anwybyddu'r bwli.

'Rwy'n siarad 'da ti,' hisiodd Davies

'A dwi'n dy anwybyddu di, felly beth yw'r broblem?' saethodd Owain ei ateb ato.

Chwarddodd gweddill y chwaraewyr a thaflwyd Davies oddi ar ei echel, braidd. Agorodd ei geg, ond allai o ddim meddwl am ddim byd clyfar i'w ddweud. Trodd a brasgamu ymaith, ei wyneb fel taran.

Yn hwyrach y noson honno, roedd Owain ac Alun yn ymlacio yn eu llofft. Roedd Owain yn dweud wrtho am ei ateb sydyn a sut, er iddo fwynhau hynny ar y pryd, roedd yn poeni y byddai Davies yn gwneud bywyd yn anoddach iddo.

'Edrych,' meddai Alun, 'mae'r hogyn yna wedi rhedeg y lle yma yn rhy hir. Mae'r ffaith dy fod ti wedi dal dy dir heddiw wedi dangos i'r hogiau eraill ei bod hi'n bosib gwneud hynny.'

'Ia, felly dwi'n mynd i fod yn ferthyr, fel y gall gweddill Blwyddyn Saith gael bywyd brafiach – diolch yn fawr,' ochneidiodd Owain.

'Cod dy galon, mêt, a gad i ni fynd ymlaen at y wers nesa yn y Coleg Rygbi. Beryg ei bod hi'n bryd i ti ddysgu am y system sgorio pwyntiau a sut mae'r gêm yn symud,' meddai Alun. 'Dwy brif ffordd o sgorio sydd yna – mae tirio'r bêl y tu ôl i linell y tîm arall yn cael ei alw'n gais ac mae hynny'n werth pum pwynt. Weithiau bydd y dyfarnwr yn cosbi tîm amddiffynnol sy'n rhwystro'r gwrthwynebwyr rhag sgorio'n anghyfreithlon drwy roi cais cosb iddyn nhw.

'Y ffordd arall o sgorio yw trwy gicio'r bêl dros y croesfar rhwng y pyst. Ar ôl i ti sgorio cais, ti'n cael cyfle i ychwanegu dau bwynt drwy gicio trosiad. Alli di gymryd y gic o ble bynnag wyt ti eisiau ar linell sy'n cael ei thynnu yn syth yn ôl i ble tiriwyd y bêl. Os wyt ti'n sgorio yn y gornel, ti'n mynd reit yn ôl at y llinell ddwy ar hugain er mwyn cael ongl dda i gicio'r trosiad. Dyna pam gweli di sgoriwr cais yn mynd mor agos ag y gall o at y pyst weithiau cyn iddo dirio'r bêl. Mae o'n gwneud hynny er mwyn helpu'r ciciwr.'

'Ha, ro'n i wedi bod yn pendroni dros hynny. Welais i George North yn gwneud hynna ar y teledu llynedd. Mae o'n gwneud synnwyr.'

'Felly mae trosiad yn ddau bwynt,' eglurodd Alun, 'a ti'n cael tri phwynt am gic gosb.'

'Ti'n cael ciciau cosb am lwyth o bethau, dwyt?' gofynnodd Owain

'Wel, mae hi'n edrych felly, ond mae 'na ychydig o bethau sy'n codi trwy'r amser, fel methu aros ar dy draed mewn ryc, gwrthod gollwng y bêl ar y llawr, tacl uchel, camsefyll ... Ddo i 'nôl at hynna eto. Beth bynnag, gall y ciciwr gael tri phwynt drwy sgorio, felly gall y pwyntiau yna wneud gwahaniaeth. Y ffordd olaf o sgorio ydi'r gôl adlam. Weithiau, os wyt ti'n ymosod ac yn methu'n glir â thorri drwy'r amddiffyn er mwyn mynd am gais, mae hi'n well cymryd y pwyntiau. Mae yna dri phwynt i'w hennill am gôl adlam, felly maen nhw'n werth eu cael. Fel arfer, bydd yr ymosodiad yn paratoi ar ei chyfer mewn sgrym drwy gael y maswr i symud yn ôl i roi gwell cyfle iddo gymryd y gic. Yna bydd y mewnwr yn ceisio cael y bêl yn ôl cyn gyflymed ag y gall o.'

Nodiodd Owain.

'Rhaid i'r maswr gymryd y bêl yn lân, sadio'i hun, gollwng y bêl fel ei bod hi'n bwrw'r llawr, a'r ciliad gwnaiff hi hynny, rhaid iddo ei chicio'n uchel a syth rhwng y pyst. Mae hi'n goblyn o sgìl a gall fod yn anhygoel i'w wylio,' aeth Alun yn ei flaen. 'Os ydi tîm yn ymosod yn ystod eiliadau olaf gêm – a'u bod nhw dim ond ychydig bwyntiau ar ei hôl hi – byddan nhw'n ceisio symud pethau mor agos ag y gallan nhw at y pyst cyn paratoi am gic adlam.'

'Dwi'n falch fod gen i swydd hawdd yn y cefn 'ta,' chwarddodd Owain.

'Paid â dweud gormod,' meddai Alun. 'Roedd Charles

wrth ei fodd pan wnest ti'r cydio a'r cicio yna. Dylet ti ymarfer ciciau adlam.'

'Cic adlam? Be ar y ddaear ydi honno?'

'Cei esboniad ryw dro eto,' gwenodd Alun arno.

PENNOD SAITH

Y bore canlynol cerddodd Owain, Alun a Rhodri i'w stafell ddosbarth efo'i gilydd. Sylwodd y tri ar y criw oedd wedi ymgasglu wrth yr hysbysfwrdd ger y drws. Rhannodd y criw pan gyrhaeddodd Owain. Roedd hi'n amlwg fod pobl wedi clywed am ei wrthdaro â Richard Davies.

'Www,' meddai Alun, 'rydyn ni i gyd yn ôl ar yr 13Cs ar gyfer y gêm gyntaf ddydd Sadwrn.'

Gwenodd Owain wrth weld ei enw wedi'i ysgrifennu ar bwys y gair 'cefnwr' am y tro cyntaf.

Roedd Alun ar yr asgell dde a Rhodri yn fewnwr.

Aeth y ddeuddydd nesaf heibio mewn niwl wrth i Owain ganolbwyntio'n galed ar ymarfer, gan ofni drwy waed ei galon y byddai'n gwneud coblyn o gamgymeriad.

Parhaodd Alun gyda'i gwrs hyfforddi, gan egluro siâp cae rygbi ac ystyr y llinellau iddo.

LLINELL GWSG

LLINELL GAIS

22

LLINELL HANNER

22

LLINELL GAIS

LLINELL GWSG

'Iawn, Owain,' dechreuodd. 'Mae'r llinellau allanol yn union fel rhai pêl-droed – ac maen nhw'n cael eu galw yn linellau ystlys.'

'Llinell ochr fyddai honno inni mewn pêl-droed – a does dim llinellau cwsg yn ein gêm ni chwaith,' nododd Owain.

'O ie, mi anghofiais fod pethau'n wahanol yn dy gêm di. Pêl-droed – chwarae efo'ch traed, ie? Eto, rydach chi'n taflu'r bêl o'r llinell ochr gan ddefnyddio'ch dwylo!'

'Caria ymlaen!' cyfarthodd Owain, gyda gwên.

'Beth bynnag, mae'r llinellau ystlys ar hyd yr ochrau yma. Os ydi'r bêl yn mynd drostyn nhw yna mae hi'n llinell. Mae blaenwyr y ddau dîm yn ffurfio dwy linell ac mae'r bachwr yn taflu'r bêl yn syth rhyngddyn nhw. Mae o'n defnyddio cod i ddweud wrth ei dîm i bwy mae o'n mynd i'w daflu fel y gallan nhw amseru eu llam. Welaist ti'r hogiau'n ymarfer rheini ddoe.'

'Do, ond doedden nhw ddim yn gwneud y peth codi i fyny 'na maen nhw'n ei wneud yn y Chwe Gwlad,' meddai Owain.

'Na, does gynnon ni ddim hawl i wneud hynny yn ein rygbi ni. Dwi'n meddwl bod gen ti hawl i'w wneud o pan wyt ti'n cyrraedd Tîm y Cwpan Hŷn – ond mae o'n rhy beryglus i'r timau dan 13.

'Maen nhw'n galw'r llinell sydd ar y pen yn llinell gwsg. Dydi'r bêl yn dda i ddim wedi iddi fynd drosti. Y llinell cyn honna – yr un gyda'r pyst arni – ydi'r llinell gais. Er mwyn sgorio cais, rhaid i ti dirio'r bêl yn yr ardal rhwng y llinell gais a'r llinell gwsg. Y llinell i lawr y canol ydi'r llinell hanner, a deg metr o boptu iddi mae'r llinell ddeg metr. Pan ddaw cic gychwyn o'r hanner, rhaid i'r bêl fynd dros honno. Mae'r llinell arall rhwng honna a'r llinell gais. "Y llinell ddwy ar hugain" maen nhw'n ei galw hi achos ei bod hi ddwy fetr ar hugain i ffwrdd o'r pyst. Mae hi'n bwysig iawn fod cefnwr yn gwybod ble mae ei ddwy ar hugain o.'

'Pam?' gofynnodd Owain.

'Wel, y prif beth pan wyt ti'n cicio am yr ystlys ydi fod yn rhaid i ti gadw o fewn y llinell yna. Mae o'n golygu dy fod ti'n cicio'r bêl yn syth allan a chaiff llinell ei ffurfio o ble aeth y bêl allan. Os wyt ti'n cicio am yr ystlys o'r tu allan i dy ddwy ar hugain, yna mae'n rhaid i ti sicrhau fod y bêl yn bownsio cyn iddi fynd i'r ystlys, sy'n anodd.'

'Be sy'n digwydd os nad ydi hi?' holodd Owain.

'Mae'r llumanwr yn rhedeg yr holl ffordd yn ôl i weld o ble ciciaist ti hi a dyna ble caiff y llinell ei ffurfio. Gall hynny olygu dy fod ti'n colli deg ar hugain neu ddeugain metr,' eglurodd Alun.

'Ond os wyt ti y tu mewn i'r llinell ddwy ar hugain, does dim ots ydi hi'n bownsio ai peidio,' dywedodd Owain.

'Yn union – ti'n dechrau deall,' chwarddodd Alun.

'Chwarae teg i ti, Alun, ti'n wych am wneud iddo fo swnio'n hawdd. Mae'n rhaid dy fod ti wedi dysgu'r gêm pan oeddet ti'n fabi!'

'Ddim yn union, ond roedd fy nhad a 'mrodyr hŷn i gyd yn chwarae. Roedden nhw'n dda iawn hefyd,' cilwenodd. 'Dwi'n dipyn o ddafad ddu o gymharu â nhw.'

Treuliodd y ddau chwarter awr arall yn trafod y marciau ar y cae a sut roedden nhw'n berthnasol i'r gêm.

'Wyt ti'n meddwl y byddi di'n iawn fory?' gofynnodd Alun.

'Wn i ddim,' cododd Owain ei ysgwyddau. 'Dwi wedi deall

y safleoedd a dwi'n gwybod yn fras ble dwi i fod ar gyfer pob symudiad. Dwi'n gwybod bod angen i mi basio'r bêl yn ôl a dim ei chicio hi i fyny'r cae fel twpsyn.'

'Ia, wel, cofia mai dim ond hyn a hyn o bethau all y cefnwr eu gwneud,' eglurodd Alun, 'felly canolbwyntia ar wylio'r bêl, mynd am y ciciau uchel yn dy ardal di, a phasio'r bêl yn ôl y munud cei di dy daclo. A gwna'n sicr dy fod di mewn sefyllfa i'w taclo *nhw* pan maen nhw'n ymosod.'

'Iawn, Mr Hyfforddwr! Mi wna i'n siŵr 'mod i'n gefn i'r asgellwr de di-glem 'na hefyd,' dywedodd, cyn i obennydd hedfan ar draws y llofft tuag ato.

Llwyddodd Owain i'w osgoi a chwarddodd wrth i Alun ruthro o gwmpas yn chwilio am fwy o arfau.

Yna daeth cri 'goleuadau mas!' dros y coridor a diffoddwyd goleuadau'r llofft. Chwarddodd yr hyfforddwr rygbi ifanc a'i ddisgybl wrth iddyn nhw neidio i'w gwelyau. Byddai fory yn dangos cystal hyfforddwr a disgybl roedden nhw mewn gwirionedd.

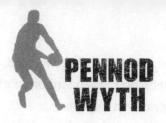

PENNOD WYTH

Roedd bore Sadwrn yn oer, wrth i'r hydref ddechrau troi'n aeaf. Roedd y dail coch a brown crin oedd wedi'u gwasgaru ar lawr ym mhobman wedi dechrau troi'n slwtsh llithrig. Newidiodd lletywyr Craig-wen i'w cit yn syth ar ôl brecwast a cherdded draw i'r stafelloedd newid i ymuno â'u cyd-chwaraewyr.

Roedd Mr Charles yn astudio'i glipfwrdd pan gerddodd Owain a'i ffrindiau i mewn. 'Bore da, bois. Eisteddwch yn fan'na ac awn ni drwy ein cynlluniau.'

'Yn erbyn pwy rydyn ni'n chwarae, syr?' gofynnodd Rhodri.

'Coleg Sant Teilo. Dy'n nhw ddim yn dîm rhy wael,' meddai Mr Charles. 'Wnaeth eu Tîm Cwpan Iau nhw ein maeddu ni'r llynedd ac mae 'da nhw fachan o Awstralia yn eu hyfforddi. Maen nhw'n edrych tamed bach yn fwy na chi, felly gadewch i ni wneud yn siŵr ein bod ni'n cadw pethe'n syml. Rhodri, ti fydd y capten heddi, a 'wy am i'r gweddill ohonoch chi gofio beth ry'n ni wedi bod yn ei wneud dros yr wythnose diwetha 'ma. Chi'n dîm da a 'wy'n moyn eich gweld chi'n rhoi pwyntie ar y bwrdd.'

Anelodd y pymtheg chwaraewr – a'r pump eilydd diflas yr olwg fyddai'n gorfod treulio'r gêm yn rhynnu ar yr ystlys yn aros yr alwad – tua'r cae rygbi lle oedd y tîm arall yn eu haros.

Doedd Charles ddim yn dweud celwydd am eu maint – roedd gan Sant Teilo o leiaf bedwar chwaraewr oedd yn dalach na Lefi George, 'cawr' ail reng Craig-wen.

'Ond cofiwch – po fwya'r chwaraewr, trymaf y cwymp,' meddai Rhodri wrth y pac wrth iddyn nhw aros i Hari Dafis gymryd y gic gyntaf dros dîm Craig-wen.

Unwaith roedd y bêl yn yr awyr, taranodd cewri Sant Teilo ymlaen a chyda symudiad y bu'r tîm yn amlwg yn ei ymarfer, llamodd y cyntaf at y bêl yn uchel a'i chipio o'r awyr. Ffurfiodd gweddill y pac grŵp amddiffynnol o gwmpas y daliwr wrth iddyn nhw ddechrau symud ymlaen.

'Sgarmes yw honna,' meddai Alun wrth Owain, oedd ychydig droedfeddi oddi wrtho. 'Mae'r bachgen sydd â'r bêl yn dal ar ei draed – bydd rhaid i'n blaenwyr ni ei atal neu ddown nhw'n syth at ein llinell ni.'

Wedi tua phymtheg metr cafodd y sgarmes ei dymchwel a bwydwyd y bêl yn ôl i fewnwr Sant Teilo.

Bwydodd yntau'r bêl allan i'w olwyr ac yn sydyn roedd yr asgellwr chwith yn wynebu Alun. Roedd asgellwr Craig-wen yn araf i ymateb a phan drodd ei wrthwynebydd yn ôl i mewn, roedd wedi'i lorio'n llwyr.

Gyda'r cae yn gwbl agored, gwibiodd asgellwr Sant Teilo tua'r llinell, ond fel roedd o ar fin hyrddio'i hun drosti i sgorio cais, bwriwyd ef gan goblyn o ergyd yn ei glun dde. Buglodd wysg ei ochr, ond roedd ei ymgais i daflu'r bêl yn ei hôl yn flêr, a hedfanodd honno i'r ystlys.

'Diolch, Owain,' meddai Alun, yn fyr ei anadl wrth iddo garlamu heibio'r cefnwr i'w safle. 'Roedd honna'n goblyn o ergyd.'

Crafangodd Craig-wen am y bêl yn ôl o'r llinell a chliriodd Hari Dafis, y maswr, hi i fyny'r cae.

Roedd Owain wedi twymo erbyn hyn ac roedd o wedi mwynhau gwneud y dacl, er bod palfeisiau ei ysgwyddau'n dechrau brifo ychydig bach.

Unwaith setlodd y chwarae, daeth yn amlwg nad oedd pac yr ymwelwyr ddim mor ddychrynllyd ag yr oedden nhw'n ymddangos ar ddechrau'r gêm, er eu bod nhw'n llwyddo i ennill digon o linellau.

Mr Charles oedd yn dyfarnu, a chosbai gamgymeriadau ei dîm yn llym, gan ddyfarnu nifer o giciau cosb yn erbyn Craig-wen oedd o fewn pellter cicio. Yn ffodus, doedd ciciwr yr ymwelwyr yn dda i ddim gydag unrhyw beth nad oedd yn syth o flaen y pyst, a dim ond dwy allan o'r chwech wnaeth o eu sgorio, gan roi ei dîm ar y blaen o 6-3 ar hanner amser.

Newidiodd Sant Teilo eu ciciwr ar gyfer yr ail hanner, gan ddod â bachgen bach gwydn ar y cae, oedd yn sownd ar yr asgell. Doedd hwnnw ddim yn un da am drin y bêl a methodd lu o dacls, ond roedd yn wych am gicio gôls. Gyda deng munud yn weddill roedd o wedi cynyddu sgôr ei dîm i 15-3, gyda thair gôl gosb o dair ymdrech.

Roedd Craig-wen yn dechrau blino, ond casglodd Rhodri ei dîm o'i gwmpas yn ystod toriad yn y chwarae.

'Dewch, Craig-wen, allwn ni wneud yn well na hyn,' meddai'r mewnwr bychan. Mae'r bechgyn mawr 'na wedi blino rŵan. Allwn ni eu gwthio nhw o gwmpas y cae a'u herio. Dim cicio am yr ystlys – maen nhw'n ein curo ni yn y llinellau – felly gadewch i ni geisio cael y bêl allan i'r olwyr a gwneud rhai symudiadau.'

Yn ystod y sgarmes nesaf, oedd yn hanner Sant Teilo o'r cae, daeth y bêl yn ôl i Rhodri a phasiodd hwnnw hi i Hari.

Cafodd y maswr y gorau ar ddwy dacl wrth iddo anelu am y 22. Cafodd ei lorio gan y cefnwr, ond llwyddodd i gael y bêl i Alun a rhuthrodd hwnnw am y gornel.

Fel roedd o ar fin cyrraedd y faner, gwelodd un o gewri Sant Teilo yn dod amdano ar wib. Trodd yn ôl i mewn yn syth a sleifio'r bêl i Owain oedd wrth ei ysgwydd.

Gyda deif bwerus, hedfanodd seren newydd Craig-wen dros y llinell a sgorio cais cyntaf ei yrfa rygbi fer.

Cododd Owain a gweld Mr Charles yn gwenu fel giât, tra oedd Rhodri yn curo'i gefn. 'Cais grêt, Morgan,' meddai'r mewnwr wrth i'r trosiad hwylio dros y bar i'w gwneud hi'n 15-10. 'Rŵan, gadewch i ni fynd amdani a cheisio ennill y gêm yma.'

Roedd Rhodri'n iawn am bac Sant Teilo – roedd fel petai'r chwaraewyr wedi chwythu eu plwc. Enillwyd sgarmes ar ôl sgarmes ac roedd Craig-wen mewn safle cryf, gyda dim ond dwy funud yn weddill.

Yn drychinebus, wnaeth pas Rhodri i Hari ddim ei gyrraedd ac wrth i'r bêl fwrw'r llawr, neidiodd fflancar yr ymwelwyr arni. Yn dilyn sgarmes, dychwelwyd y bêl i Sant Teilo ac arweiniodd hynny at ymosodiad. Dawnsiodd eu maswr drwy dair tacl cyn iddo droi a thaflu pas hir i'r canolwr allanol.

Sylweddolodd Owain beth roedd y canolwr allanol yn ceisio'i wneud a rhedodd fel milgi i ganol olwyr Sant Teilo a chipio'r bêl o'r awyr.

Yn syfrdan, trodd olwyr yr ymwelwyr a rhedeg fel y gwynt ar ôl Owain wrth iddo anelu am eu llinell. Gyda'r cefnwr yn unig i'w guro, gwyrodd Owain i'r dde.

Wrth iddo redeg tua'r llinell, sylweddolodd ei fod o'n anelu am y gornel. Cofiodd beth ddysgodd Alun iddo am wneud swydd y ciciwr yn haws, a chymerodd un cam yn ôl i'r chwith gan fwrw'r cefnwr oddi ar ei echel yn llwyr. Llithrodd hwnnw a chwympo.

Dim ond tirio'r bêl yn syml o dan y pyst oedd angen ei wneud wedyn a gwnaeth Owain hynny heb ffws. Trodd a gweld pedwar bachgen ar ddeg yn carlamu tuag ato, eu hwynebau'n llawn gorfoledd.

'Cais gwych, Owain ...'

'Anhygoel ...'

'Dyna i chi ochrgamu ...'

Trodd popeth yn niwl wrth iddo gerdded yn ôl i'r hanner a gwylio Hari yn bwrw'r trosiad buddugol i'w le.

Dilynwyd chwythiad Mr Charles ar y chwiban gan un hir arall – roedd y gêm ar ben.

Wedi i Rhodri alw am dair bonllef i Sant Teilo, ac wedi i'r ddau dîm ysgwyd llaw, heidiodd tîm Craig-wen o gwmpas Owain unwaith eto er mwyn ei longyfarch ymhellach.

Daeth Mr Charles draw i siarad â nhw ac roedd yn llawn canmoliaeth i bawb yn y tîm oedd wedi helpu i frwydro'n ôl mor anhygoel. Gwenodd ar Owain, ond wnaeth o ddim ychwanegu at y llifeiriant o ganmoliaeth oedd eisoes yn gwneud i'r cefnwr deimlo'n anesmwyth.

Wrth i'r tîm gerdded oddi ar y cae, cododd Mr Mathews ei law ar Owain wrth iddo fynd heibio. 'Rhaid bod y llyfr gwyrdd yn gwneud rhyw ddaioni i ti,' bloeddiodd.

Cochodd Owain. 'Mae o,' meddai'n gelwyddog. 'Dwi wedi'i fwynhau.'

'Pa lyfr?' gofynnod Alun wrth iddyn nhw gerdded yn eu blaenau.

'Hen lyfr hyfforddi rygbi Mr Mathews. Ges i o gan Charles,' eglurodd Owain, 'ond dwi ddim wedi ei agor eto, hyd yn oed.'

'Wel, dyna ddiwedd ar dy benwythnos di,' chwarddodd Alun. 'Fo sydd efo ni peth cynta fore Llun, a beryg y bydd o eisio mynd drwy'r llyfr fesul tudalen efo ti rŵan!'

PENNOD NAW

Roedd ar Owain ofn pechu Mr Mathews, felly treuliodd ei nos Sadwrn gyfan yn gorwedd ar ei wely yn darllen ei hen lyfr hyfforddi.

Cafodd Owain ei siomi ar yr ochr orau. Roedd gan yr awdur synnwyr digrifwch reit dda, a defnyddiai nifer o straeon bychain i'w helpu i wneud ei bwynt. Ond roedd y lluniau'n edrych braidd yn od, gan fod yr hen sêr rygbi yn gwisgo crysau plaen a edrychai fel petaen nhw wedi cael eu gwneud o sachau trwchus.

Reit ar ddiwedd y llyfr, gwelodd lun o Mr Mathews yn ystod ei ddyddiau chwarae, yn sefyll ar bwys dyn talach. Roedd gan yr athro Hanes fwstásh a wnâi i Owain wenu. Roedd rhywbeth yn gyfarwydd am y dyn arall ond cafodd Owain sioc pan ddarllenodd y capsiwn: 'Mr Arfon Mathews a Mr Dewi Morgan – partneriaeth ardderchog.'

Dyma'r tro cyntaf i Owain weld llun o'i daid yn ifanc ac roedd hi'n amlwg ei fod o'n debyg iawn iddo o ran pryd a gwedd. Caeodd Owain y llyfr a gorwedd yn ôl ar y gobennydd. Gwyddai gyn lleied am y gorffennol, ac roedd y dirgelwch am yrfa rygbi ei daid yn peri penbleth iddo.

Cymerodd gip ar ei oriawr a neidio oddi ar y gwely. Roedd hi'n chwarter i naw – cyfle, felly, i wneud galwad ffôn sydyn i'w fam a'i dad.

Cerddodd yn gyflym i lawr y grisiau i'r lolfa lle roedd un o fechgyn Blwyddyn Un ar Ddeg ar y ffôn. Daliai i barablu ac edrychai Owain ar ei oriawr bob munud. Daeth â'i sgwrs i ben am ddau funud i naw, gan gilwenu ar y bachgen iau wrth iddo gerdded ymaith.

Cydiodd Owain yn y ffôn a deialu'n gyflym. Ei fam atebodd ac roedd hi wrth ei bodd yn clywed oddi wrtho.

'Mae hi'n grêt sgwrsio efo ti, Owain,' meddai ei fam, 'ond dwyt ti ddim yn ffonio ar nos Sadwrn fel arfer. Gobeithio dy fod yn iawn.'

'Dwi'n iawn, Mam. Ydi Dad yna?' gofynnodd.

'Pam, oes 'na rywbeth yn bod?' holodd ei fam yn bryderus.

'Na, ond dwi angen gofyn rhywbeth iddo fo.'

Daeth tad Owain at y ffôn. 'Sut wyt ti, Ows?' gofynnodd, gan swnio braidd yn bryderus.

'Dwi'n iawn, Dad,' meddai Owain, 'ond dwi wedi bod yn meddwl am Taid a pham na wnaeth o gario 'mlaen i chwarae rygbi. Mae pawb yn siarad amdano fo yn fan hyn ac mae'r plant eraill fel petaen nhw'n gwybod mwy amdano na fi.'

'Wel ...' meddai ei dad, yn betrus, 'dwi ddim yn sicr a alla i drafod hynny rŵan. Mae Taid yn ddyn preifat ofnadwy.'

Yr eiliad honno daeth athro rownd y gongl gan chwythu chwiban. 'Naw o'r gloch, amser gwely i'r disgyblion iau!' rhuodd. 'Ti, gorffen dy alwad,' meddai, gan bwyntio at Owain.

'Iawn, Dad, mae'n rhaid i mi fynd. Siaradwn ni'n fuan.'

Rhoddodd Owain y derbynnydd yn ôl yn ei grud a rhuthro i fyny'r grisiau. Prin y cafodd o amser i newid i'w ddillad nos cyn i'r golau ddiffodd.

'Nos da, hogiau,' meddai, ond roedd ei gyd-letywyr yn cysgu eisoes.

PENNOD DEG

Roedd Alun yn iawn am Mr Mathews a'i ddosbarth Hanes fore dydd Llun. Treuliodd y rhan fwyaf o'r wers yn siarad am yr hen fath o rygbi a pha mor wahanol oedd y gêm ers talwm. Eglurodd mai dim ond tri phwynt oedd gwerth cais pan ddechreuodd o chwarae, cyn iddo gael ei godi i bedwar yn 1971 a phump yn 1991.

Bryd hynny, doedd dim cymaint o bwyslais ar ffitrwydd a hyfforddi, a doedd chwaraewyr ddim yn cael eu talu.

'Roedd yn anhygoel,' eglurodd. 'Byddai bechgyn yn treulio'r wythnos gyfan yn gweithio mewn banc neu bwll glo ac yna, ar ddydd Sadwrn, bydden nhw'n chwarae dros eu gwlad. Doedd ganddyn nhw mo'r amser i ymarfer a hyfforddi gymaint â'r chwaraewyr modern. Ond roedd yn llawer mwy o hwyl ...'

'Syr,' meddai Gavin Johnston, oedd yn chwarae rhif 8 i'r 13As, 'oeddech chi'n chwaraewr da bryd hynny?'

'Na, na, na, dim o gwbl,' dywedodd Mr Mathews. 'Doedd gen i ddim llawer o sgiliau fel mewnwr, ond ro'n i'n chwarae i dîm da iawn, ac roedd gen i un o faswyr gorau'r byd ar fy mhwys.'

Cochodd Owain, yn ymwybodol o'r cyfeiriad roedd y sgwrs yn mynd iddo.

'Ffurfiodd Dewi Morgan a fi bartneriaeth haneri pan oedden ni yr un oed â chi, fechgyn, a pharodd honno am ddeng mlynedd a mwy. Enillon ni Gwpan yr Ysgolion Iau,

Cwpan yr Ysgolion Hŷn a Chwpan Morgannwg. Dwi'n dal i gredu 'mod i wedi bod yn ffodus i gyflawni yr hyn a wnes i yn y gêm. Mae rygbi wedi rhoi pleser enfawr i mi dros y blynyddoedd, a does dim dwi'n ei fwynhau'n fwy na gwylio bechgyn ifanc fel chi yn dysgu sut i gael yr un hwyl. Efallai y bydd rhai ohonoch chi'n ddigon da i fod yn chwaraewyr proffesiynol rhyw ddiwrnod, ond dwi'n gobeithio y gwnewch chi gofio mai adloniant yw rygbi yn y bôn, a ffordd wych o fwynhau eich hunain yng nghwmni ffrindiau.'

Meddyliodd Owain am yr hyn ddywedodd Mr Mathews wrth iddo gerdded i'w ddosbarth nesaf. Daeth ar draws Rhodri ar ei ffordd.

'Hei, Morgan, mae'n amlwg ein bod ni'n dau wedi creu argraff ar Mr Charles ddydd Sadwrn achos rydyn ni wedi cael ein dyrchafu i'r 13Bs ar gyfer gêm dydd Mercher!'

Roedd Owain yn syfrdan ac ychydig yn drist o glywed hyn. Roedd ei ffrindiau i gyd yn yr 13Cs a doedd o ddim yn meddwl ei fod o'n hanner digon da i gael ei ddyrchafu ar ôl un gêm.

Ond erbyn dydd Mercher roedd yn anhapus ofnadwy, ac i goroni'r cyfan, doedd Alun ddim wedi ymateb yn dda o gwbl i'r newyddion.

'Rydyn ni'n gwneud yn dda yn y Cs,' cwynodd. 'Alli di ddim dweud wrth Charles nad wyt ti eisio chwarae i'r Bs?'

'O, tyrd yn dy flaen – be fysa'n digwydd pe bawn i'n gwneud hynna?' atebodd Owain. 'Baswn i'n ei chael hi go iawn. Fyddai o byth yn gadael i mi wneud hynna.'

Daeth gwersi rygbi Alun i ben yn ddisymwth a dim ond siarad gyda'i gilydd pan oedd raid wnaethon nhw o hynny ymlaen.

Wrth i ddechrau'r gêm nesáu, eisteddai Owain yn stafell newid y Bs yn aros i Mr Charles ddod i siarad efo'r tîm. Edrychodd o'i gwmpas ar ei gyd-chwaraewyr newydd a sylweddoli eu bod nhw yr un mor nerfus â fo. Os gallai o gofio geiriau'r hyfforddwr, byddai'n iawn.

Yn sydyn, brasgamodd Mr Charles i mewn i'r stafell, yn gyffro i gyd. 'Reit, pwy yn y tîm yma sy'n chwarae yn safle'r canolwr?'

Rhoddodd dau fachgen eu dwylo i fyny.

'McCann ... Anderson ...' mwmialodd Mr Charles, cyn edrych yn frysiog ar hyd y meinciau yn erbyn y tair wal.

Oedodd pan welodd Owain.

'Morgan,' meddai. 'Mae'r bachan Rhydian yna newydd droi ei bigwrn wrth dwymo cyn y gêm. Ry'n ni'n brin o ganolwr ar yr As. Dere gyda fi.'

Teimlai Owain i'r byw. Roedd o eisiau dweud 'Ond, syr ... ', ond roedd ei geg mor grimp fel na allai yngan fawr mwy na gwich. Cododd a dilyn yr hyfforddwr drwy'r drws.

Ar y cae, gorweddai bachgen ar y llawr yn crio, a safai gweddill yr 13As o'i gwmpas yn nerfus. Roedd yn amlwg mewn poen ac roedd Miss Probert, nyrs yr ysgol, yn rhoi rhwymyn am ei ffêr.

Wrth i Owain agosáu, edrychodd Richie Davies i fyny a rhythu arno.

'Reit, dîm, dewch 'ma,' meddai Mr Charles. 'Dyma Owain Morgan – mae e'n newydd blwyddyn 'ma, ond wnaiff e jobyn dda i ni heddi. Caiff e fod yn gefnwr a chaiff Bedwyr Rhys fod yn ganolwr allanol ... Nawr, gadewch i ni dwymo 'to. Glou!'

Cymerodd Mr Charles Owain i'r naill ochr. 'Iawn, Owain,

'wy'n moyn i ti gadw pethe'n syml iawn heddi. Canolbwyntia ar ddal y peli uchel a thaclo. Dwi ddim moyn i ti dorri trwyddo i geisio rhyng-gipio – mae'r rygbi yma ar lefel uwch a wnawn nhw gosbi unrhyw gamgymeriade wnei di, ond mwynha dy hun a dysga.'

Y peth olaf y disgwyliai Owain ei wneud oedd mwynhau'r gêm ac roedd yn iawn i feddwl hynny. Gwnaeth ambell symudiad da, ond methodd yn lân â thorri drwy'r dacl wrth i'r gwrthwynebwyr hy ddianc o'i afael.

Er gwaetha'r cyfan, cafwyd gêm gyfartal 20-20, ond Owain oedd ar fai yn llwyr am gais olaf y 13Bs a'u gwnaeth nhw'n gyfartal. Wrth i'r timau gerdded oddi ar y cae ar y diwedd, roedd Richie Davies yn sydyn i'w atgoffa o'r dacl a fethodd.

'Ti'n dda i ddim, Morgan. Dwi ddim yn disgwyl dy weld di yn y tîm 'ma 'to,' mwmialodd.

Cerddodd Owain ymaith, yn ysu am i Alun a Rhodri fod yna i'w gefnogi. Brathodd ei wefus, yn ansicr a oedd rhoi ateb i sylw Davies yn syniad da. Anadlodd yn ddwfn; gwyddai'n iawn y byddai dangos hyd yn oed un deigryn yn chwalu ei enw da yn yr ysgol.

PENNOD
UN AR DDEG

Teimlai Owain na allai bywyd fynd yn fawr gwaeth.

'Tri deg dau sero. Ac roedden ni'n lwcus i gael sero,' cwynodd Alun yn eu stafell y noson honno. 'Diolch yn fawr, mêt.'

'O, tyrd yn dy flaen, Alun, doedd gen i ddim dewis. A hyd yn oed petawn i wedi chwarae i'r Cs, beryg na faswn i ddim wedi gwneud fawr o wahaniaeth.'

Cododd Alun ei ysgwyddau, troi ei gefn arno, a mynd yn ôl i siarad efo Lleucu y llygoden.

Roedd bechgyn yr 13Bs braidd yn ddig gydag ymddangosiad cyflym Owain yn eu stafell newid hefyd, tra oedd yr 13As yn ei feio am fethu'r dacl ddinistriodd eu record gant y cant.

Rhwng popeth, roedd Owain wedi cael cwpwl o ddyddiau erchyll.

Doedd y wers Hanes ddydd Gwener ddim tan ar ôl cinio, felly synnodd pawb o weld Mr Mathews yn taro'i ben heibio'r drws cyn gwers gyntaf y bore hwnnw.

'Foneddigion,' cyhoeddodd, 'byddwn yn cael trip arbennig pnawn 'ma. Byddwn yn cyfarfod o flaen yr ysgol am chwarter wedi un. Byddwch yn brydlon, plis, neu bydd rhaid i chi aros ar ôl am dair gwers Fathemateg.' A chyda hynny, diflannodd.

Bu llawer o drafod i ble yn union y bydden nhw'n mynd, a mwyafrif y bechgyn yn meddwl mai Sain Ffagan fyddai pen y daith.

'Dyma'r unig dro caiff yr hambons o'r mynyddoedd wared

ar eu hiraeth tra maen nhw yn y brifddinas – bydd y tai to gwellt a'r tân mawn yn eu hatgoffa nhw o gartre,' cilwenodd Richie Davies.

Ond roedden nhw i gyd yn anghywir.

Aeth y bws tua'r ddinas ond ar ôl taith fer trodd oddi ar y briffordd a chyrraedd Stryd Westgate. Syllodd pawb drwy ffenestri'r bws ar yr adeilad anferth o'u blaenau.

Cododd Mr Mathews a sefyll ym mlaen y bws. 'Foneddigion, croeso i Stadiwm y Mileniwm, neu Stadiwm Principality, fel caiff ei galw erbyn hyn. Dyma'r stadiwm genedlaethol ac mae e'n adeilad arbennig a gymerodd flynyddoedd i'w adeiladu. Agorodd yn 1999 ar gyfer twrnament Cwpan Rygbi'r Byd, ac fe'i hadeiladwyd ar bwys Parc yr Arfau, yr hen gae rygbi cenedlaethol. Y Gleision sy'n chwarae yn y fan honno ac mae Parc yr Arfau yn llawn o atgofion i mi ac i'r ysgol, wrth gwrs.

'Byddwn yn cael taith o gwmpas y stadiwm ac yn clywed rhywfaint am ei hanes rhyfeddol. Rydych yn cynrychioli eich ysgol heddiw, felly dwi'n disgwyl i chi fod ar eich gorau a pharchu'r llefydd y byddwn ni'n ymweld â nhw a'r bobl y byddwn ni'n eu cyfarfod.'

Camodd y grŵp oddi ar y bws a mynd trwy'r drysau gwydr dwbl i mewn i dderbynfa'r stadiwm.

Daeth dynes ifanc gyfeillgar i'w tywys drwy'r giât dro ac i mewn i dwnnel hir, uchel. 'Mae'r twnnel 'ma'n mynd o gwmpas y stadiwm i gyd. Rhaid iddo fod mor fawr â hyn er mwyn i ni allu gyrru bysiau ac ambiwlansys reit i ganol y stadiwm,' eglurodd.

Arweiniodd y bechgyn i fyny coridor i fan oedd wedi'i

oleuo'n dda. Roedd murluniau enfawr o chwaraewyr pêl-droed a rygbi gwych y gorffennol i'w gweld yno.

''Co dwnnel y chwaraewyr. O fan hyn maen nhw'n rhedeg mas i'r y cae. Pan mae hi bytu bod yn amser i'r gêm ddechre, maen nhw'n dod mas o'u stafelloedd newid i fan hyn.' Sylwodd Owain fel roedd llygaid rhai o'r bechgyn yn disgleirio mewn rhyfeddod, a cherddai un neu ddau'n dalsyth drwy'r twnnel, yn breuddwydio am frasgamu drwyddo ryw ddiwrnod yn eu crysau cochion, pan fyddai'r stadiwm dan ei sang.

Doedd dim o'r lol yna ym mhen Owain, dim ond diflastod wrth iddo sylweddoli nad oedd o'n rhy hoff o'r gêm wedi'r cyfan.

'Paid â llusgo dy draed, Owain Morgan,' dwrdiodd Mr Mathews. 'Rydyn ni'n mynd i ardal y chwaraewyr nesa. Mae hi'n sicr o greu argraff.'

Cerddodd y grŵp i mewn i stafell newid y tîm cartref ac eistedd ar y meinciau hir oedd wrth y waliau. Dangosodd y tywysydd y sgrin DVD i'r bechgyn lle roedd hi'n bosibl egluro tactegau munud olaf. Creodd y gawod enfawr argraff arnyn nhw hefyd.

'Pum cawod oedd yna rhwng y tîm cyfan pan o'n i'n arfer chwarae ar Barc yr Arfau ers talwm,' gwenodd Mr Mathews. 'A dim ond dwy oedd â dŵr poeth!'

Aeth y tywysydd â nhw i ran arall o ardal y chwaraewyr – stafell enfawr gyda llawr oedd wedi'i orchuddio â gwair ffug. 'Dyma ble mae'r chwaraewyr yn gallu ymarfer eu galwadau wrth daflu'r bêl i'r llinell, neu gicio hyd yn oed,' eglurodd.

Agorodd llygaid Mr Mathews led y pen pan welodd yr adnodd rhyfeddol yma.

'Beth wnawn nhw ddyfeisio nesa?' gofynnodd yn uchel.

Cymerodd y bechgyn eu tro i wthio drwy'r drws cul a arweiniai i'r stafell dwymo, a chan fod Owain wedi bod yn y grŵp cyntaf, dechreuodd grwydro y tu allan wrth iddo aros i bawb arall gwblhau'r daith.

Sylweddolodd nad oedd o wedi torri gair â neb ar y trip gan fod Rhodri – ei unig ffrind ar hyn o bryd – yn ôl yn yr ysgol am nad oedd yn teimlo'n hwylus.

Crwydrodd Owain i lawr coridor yn chwilio am y tŷ bach, ond wedi iddo gymryd cwpwl o droadau, sylweddolodd fod y drysau i gyd yn edrych yr un fath a doedd ganddo'r un syniad ble i fynd. Ceisiodd droi ambell fwlyn ond roedd y stafelloedd i gyd ar glo.

Gwelodd Owain fod sgwâr gwyn gyda chroes goch arno ar ddrws olaf y coridor – y stafell Cymorth Cyntaf.

Trodd y bwlyn. Agorodd y drws ac aeth yn syth i'r tŷ bach. Wrth iddo olchi ei ddwylo, clywodd sŵn y tu ôl iddo a throdd yn gyflym.

Roedd dyn ifanc yn eistedd ar y bwrdd triniaeth yn gwisgo crys du a chroes wen ar ei frest, a siorts hir du. Roedd ei ben yn ei ddwylo a gallai Owain weld fod ei wyneb yn hynod welw.

'Helô, wyt ti'n iawn?' gofynnodd Owain.

Cododd y dyn ei ben a syllu ar Owain. 'Pwy wyt ti?'

'Owain. Dwi yma ar daith ysgol a dwi newydd fynd ar goll. Wyt ti wedi brifo?'

'Allet ti ddweud hynna, sbo. Ges i gnoc ar fy mhen sbel yn ôl. Mae e'n dal i roi dolur. I ba ysgol wyt ti'n mynd?'

'Craig-wen,' atebodd Owain.

'A! Craig-wen,' meddai'r dyn. 'Ges i rai gemau da ofnadwy

yn eu herbyn nhw pan o'n i yn yr ysgol. Tîm da. Roedden nhw'n ennill popeth am flynydde.'

E? Rhaid ei fod o'n ddryslyd ar ôl y gnoc i'w ben, meddyliodd Owain.

'O ble wyt ti'n dod?' gofynnodd y dyn.

'Dolgellau – mae hi'n dref ym Meirion ...'

''Wy'n gwybod yn gwmws ble mae e,' meddai'r dyn. ''Wy'n dod o Gastell-nedd ond wnes i nabod dy acen di. Wyt ti'n chwarae rygbi yng Nghraig-wen?'

'Ydw, ond dwi ddim yn siŵr iawn a ydw i'n hoffi'r gêm. Newydd ddechrau ydw i ac maen nhw wedi 'nyrchafu fi o'r Cs i'r As ar ôl un gêm. Does gen i ddim syniad be sy'n digwydd hanner yr amser, a phan dwi'n gwneud rhywbeth o'i le, mae pawb yn gweld bai arna i.'

'A, dyna'n union ddigwyddodd i mi pan ddes i i'r ysgol gynta. Roedd gen i frawd oedd yn eitha da – aeth e 'mlaen i chwarae dros Gymru – ac roedd pawb yn meddwl 'mod i'n mynd i fod yn chwaraewr naturiol. Ond doeddwn i erioed wedi gweld gêm o rygbi yng Nghastell-nedd cyn i mi gael fy newis i chwarae i dîm yr ysgol. Wnaethon nhw ffŵl ohono i.'

'Sut wnest ti ymdopi?' gofynnodd Owain.

'Gweithio, dysgu popeth allwn i am y gêm ac ymarfer ar fy mhen fy hun bob cyfle ro'n i'n ei gael.'

'Wn i ddim ydw i eisio mynd drwy hynna ...' dechreuodd Owain.

'Gwranda,' meddai'r dyn. 'Jest cofia di fod rygbi yn gêm grêt i gryts ifanc. Wnaiff e dy helpu di i gadw'n heini, ac mae e'n ffordd wych o ddysgu pob math o bethau i ti am waith tîm a chydweithio. Mae hi'n gêm sy'n siwtio pob siâp a maint, a bydd unrhyw ffrind wnei di ar y cae rygbi yn ffrind am oes.'

Am ychydig funudau, siaradodd y ddau am rai o'r symudiadau anoddaf, gan gynnwys y ffordd orau o daclo.

Yn sydyn, sylweddolodd Owain ei fod o wedi bod yno am ugain munud ac y byddai'r athrawon yn chwilio amdano.

'Rhaid i mi fynd,' meddai. 'Diolch am y cyngor.'

'Dim problem,' meddai'r dyn. 'Os byddi di angen mwy o help, ar Barc yr Arfau fydda i fel arfer. Dod draw yma am wâc wnes i heddi, felly cofia alw heibio i 'ngweld. Fy enw i yw Dic, gyda llaw.'

Rhedodd Owain i fyny'r coridor ac yn ôl trwy'r stafelloedd newid, gan gyrraedd y twnnel wrth i grŵp Craig-wen ddychwelyd o'r cae.

'Owain Morgan, wnest ti redeg o'n blaenau ni?' gofynnodd Mr Mathews. 'Welais i mohonot ti allan ar y maes.'

'Na, syr, ro'n i wrth eich cwt,' atebodd Owain. 'Roedd gen i garreg yn fy esgid a falle na welsoch chi fi gan 'mod i ar fy nghwrcwd,' meddai'n gelwyddog.

Daeth y daith i ben a dringodd y bechgyn yn ôl ar y bws. Daeth Mr Mathews i lawr yr eil ac eistedd wrth ymyl Owain am funud.

'Ydi popeth yn iawn?' gofynnodd. 'Ti'n edrych fel dy fod ti mewn hwyliau drwg.'

'Na syr, fydda i'n iawn,' mwmialodd Owain.

Cododd yr athro, nodio, a cherdded ymaith, gan adael Owain ar ei ben ei hun, yn teimlo'n ansicr am ei farn am y gêm. A oedd o'n hoffi rygbi wedi'r cyfan? Meddyliodd am Dic a'i gyngor call.

Penderfynodd roi cynnig arall arni.

PENNOD DEUDDEG

Wedi iddo wneud llanast wrth chwarae i dîm yr As, cafodd Owain ei ollwng i'r Bs ar gyfer rhai o'r gemau nesaf. Dechreuodd fwynhau chwarae eto, gan fod y Bs yn llawer mwy o hwyl na'r As – oedd yn llawer rhy ddifrifol – a'r Cs – oedd yn rhy ddi-glem. Wedi cyfraniad eithriadol Owain i'r fuddugoliaeth yn erbyn Sant Teilo, collodd y Cs eu saith gêm nesaf, a hynny o gryn dipyn, yn ôl eu harfer.

Yn y diwedd, sylweddolodd Alun nad y ffaith fod Owain ddim yn chwarae iddyn nhw oedd y broblem, a hyd yn oed pe bai o'n chwarae, ddylai o ddim cael ei feio am hynny. Gwnaeth y ddau gymodi un noson, gan rannu pecyn o gnau yn y llofft.

'Sorri am fod yn gymaint o dwpsyn,' meddai Alun. 'Ro'n i'n teimlo ychydig yn genfigennus dy fod ti wedi cael dy ddyrchafu i'r Bs mor sydyn. Dwi wedi bod yn chwarae am flynyddoedd a dwi erioed wedi cael fy newis.'

Gwenodd Owain. Roedd Alun yn gwirioni ar ei rygbi, ond doedd o ddim yn ddigon o arbenigwr ar y gêm i fod yn chwaraewr da. Byddai wrth ei fodd petai'n medru ffeirio eu galluoedd, ond gwyddai nad oedd hynny'n mynd i ddigwydd.

'Wna i drio cael y gorau ar asgellwr y Bs wrth i ni gnesu – ella gwnaiff Charles dy ddyrchafu di fel eilydd wedyn,' meddai'n ysgafn.

'Byddai'n well gan Charles roi prop y Bs ar yr asgell na 'nyrchafu fi. Bydda i'n sownd yn y Cs am byth,' cwynodd Alun yn brudd.

'Dylen ni drefnu cwpwl o sesiynau ymarfer i ni'n hunain ar ryw gae diarffordd,' meddai Owain. 'Ddywedodd Dic ei fod o'n arfer ymarfer ar ei ben ei hun.'

'Pwy ydi Dic?'

'Rhyw foi wnes i ei gyfarfod yn y Stadiwm Genedlaethol,' meddai Owain.

'Ble yn y stadiwm?'

'Yn y stafell gymorth cyntaf. Es i ar goll wrth edrych am y tŷ bach,' eglurodd Owain.

'Ti'n lwcus na wnaeth Mathews dy ddal di. Maen nhw'n gwylltio'n gacwn os wyt ti'n crwydro ar ben dy hun fel'na,' meddai Alun. 'Beth bynnag, beth am i ni drio ymarfer ychydig o symudiadau, achos all pethau ddim mynd yn waeth.'

Bob bore Sul roedd disgwyl i'r lletywyr fynd i'r gwasanaeth yn eglwys yr ysgol am naw o'r gloch. Aeth Owain ac Alun, gyda'u tracwisgoedd a'u hesgidiau rygbi wedi'u stwffio i fagiau cefn a guddiwyd o dan y meinciau.

Wrth i'r gwasanaeth ddod i ben, rhuthrodd y ddau heibio i ochr yr eglwys, gan ofalu nad oedd neb yn eu gweld. Doedd dim o'i le ar yr hyn roedden nhw'n bwriadu ei wneud, ond petai'r si yn mynd ar led, byddai'n fêl ar fysedd Davies a'i griw a'u gwatwar.

Wedi iddyn nhw fynd o olwg yr eglwys, crwydrodd y ddau drwy'r llwyni a'r prysgwydd i gornel dawel o dir yr ysgol. Cuddiai'r coed tal yr olygfa o'r ysgol, felly gallai'r ddau ymarfer mewn heddwch.

'Be am ddechrau gyda fi yn ceisio dy daclo di a thithau'n trio fy osgoi i?' awgrymodd Owain. 'Dydi'r un ohonon ni'n dda am wneud y pethau yna.'

Darllenodd Owain lyfr Mr Mathews y noswaith cynt a dod i ddeall mwy am y ffordd orau o daclo. Pwysleisiai hwnnw nad cryfder corfforol oedd yn bwysig wrth daclo. Mater o dechneg oedd o'n fwy na dim, ac roedd cryfder meddyliol cyn bwysiced â chryfder corfforol.

Cydiodd Alun yn y bêl ac ar ôl iddo sefyll ryw ugain troedfedd i ffwrdd, dechreuodd redeg tuag at Owain. Cymerodd Alun ychydig o gamau i'r dde, gan geisio rhedeg heibio Owain, a deifiodd hwnnw'n syth am draed Alun.

'Aww,' rhuodd Owain wrth i sodlau Alun fwrw'i wyneb. Cwympodd yr asgellwr, ond gadawyd Owain yn gwingo ar y llawr mewn poen.

'Rhy isel,' dywedodd Alun. 'Rhaid i ti anelu am ganol fy morddwyd i – defnyddia waelod siorts y chwaraewr fel targed.'

'Dy fai di ydi o, felly,' tynnodd Owain ei goes. 'Wnest ti fy nrysu wrth wisgo'r tracwisg yna.'

'Rhaid i ti fynd yn nes at y chwaraewr hefyd,' nododd Alun. 'Dylet ti geisio bwrw gyda dy ysgwydd, yn hytrach na defnyddio dy ddwylo a dy freichiau.'

Bu'r ddau'n ymarfer am ugain munud cyn i Owain ddechrau cael hwyl arni. Yna treulion nhw amser yn chwarae rôl y naill a'r llall, oedd doedd hynny ddim mor llwyddiannus gan fod Owain wastad yn gallu osgoi tacl Alun.

I orffen y sesiwn, safodd y ddau ddeugain troedfedd ar wahân a chicio'r bêl i'r entrychion i gyfeiriad ei gilydd. Roedd sgiliau pêl-droed Owain wrth amseru ei naid yng ngheg y gôl yn golygu y gallai addasu'r dechneg er mwyn llamu'n uchel am y bêl hirgron a'i dal yn lân yn yr awyr. Doedd Alun ddim cystal ond dechreuodd ddatblygu techneg o fynd o dan y bêl, gan sicrhau fod ei frechiau'n barod i'w chofleidio i'w frest.

'Dyna ddigon am heddiw,' meddai Alun, wrth iddo ollwng y bêl eto fyth. 'Mae'r bêl yn dechrau mynd yn llithrig oherwydd yr holl ddail gwlyb 'ma, ond roedd hynna yn hwyl, cofia.'

Cerddodd y ddau yn ôl i'r ysgol, yn trafod cynlluniau ar gyfer eu prynhawn dydd Sul. Gwylio Abertawe ar y teledu oedd yn mynd â'u bryd.

Wrth iddyn nhw gyrraedd y drws, daeth Miss Probert i gwrdd â nhw, wedi'i chynhyrfu. 'Owain Morgan, ble wyt ti wedi bod? Ry'n ni wedi bod yn chwilio amdanat ti ym mhobman.'

'Pam, Miss, beth sy'n bod?'

'Mae dy dad wedi ffonio'r ysgol bedair gwaith bore 'ma. Dere gyda fi – alli di ddefnyddio stafell yr athrawon i'w ffonio 'nôl.'

Rhuthrodd Owain i fyny'r grisiau i ganlyn Miss Probert, gan adael Alun yn sefyll yn dal y bêl.

'Dad?' meddai wrth i'r ffôn gael ei ateb yn Nolgellau.

'O, Owain, diolch byth – roedden ni ar fin gadael. Ble ti wedi bod?'

'Dwi wedi bod allan yn chwarae rygbi efo Alun. Beth sy'n bod?'

'Taid. Dydi o ddim hanner da. Mae'r ambiwlans wedi dod i'w nôl o ac mae o'n gorfod mynd i Gaerdydd. Ddown ni i dy gasglu di am dri o'r gloch.'

PENNOD TRI AR DDEG

Roedd Owain wedi'i ddychryn yn ofnadwy. Doedd ei daid ddim wedi bod yn dda ei iechyd ers talwm, ond roedd wastad wedi bod yn rhan ganolog o fywyd Owain. Allai o ddim dioddef meddwl sut y byddai pethau heb Taid.

Diolchodd i Miss Probert ac wrth iddo gerdded allan o stafell athrawon, daeth i gwrdd â Mr Mathews.

'Syr, dwi wedi cael newyddion drwg am Taid,'

'Dewi ...' ebychodd yr athro, ei wyneb yn llawn gofid.

'Bu'n rhaid iddo fynd mewn ambiwlans i ysbyty Aberystwyth ond erbyn hyn maen nhw wedi dod â fo i ysbyty Caerdydd. Mae ganddo gyflwr ar y galon ac mae o dan eu gofal arbenigol nhw ers sbel. Dwi ddim yn siŵr iawn be sydd wedi digwydd heddiw, ond mae fy rhieni yn dod i fy nôl i am dri o'r gloch.'

'Mae'n ddrwg gen i glywed hynna, Owain,' dywedodd Mr Mathews. 'Plis cofia fi ato fo'n gynnes iawn, a tyrd i ddweud y newyddion wrtha i pan ddoi di 'nôl i'r ysgol.'

Cymerodd Owain ei amser i gerdded i'r llofft.

Roedd Alun wedi dweud yr hanes wrth Cefin, Aneurin, Ffrancon a Rhodri, ac roedden nhw i gyd yn dawel pan aeth Owain i mewn i'r stafell.

Oedodd yn y drws a rhedeg ei fys yn ysgafn dros y plac a nodai enw'r llofft.

'Mae Taid yn sâl,' meddai. 'Bydda i'n mynd i'r ysbyty am dri. Gyda lwc, mi fydd o'n iawn.'

Edrychai'r bechgyn yn ddigalon. Methodd Ffrancon ag edrych arno, a chofiodd Owain fod yr enw 'Dewi Morgan' yn golygu llawer i'r bechgyn yma, er nad oedd yr un ohonyn nhw erioed wedi cyfarfod ei daid.

'Mae o'n hen foi gwydn,' meddai, heb argyhoeddiad.

Wnaeth Owain ddim trafferthu mynd am ginio, er ei fod o eisiau bwyd ar ôl rhedeg o gwmpas drwy'r bore.

Gorweddodd ar ei wely yn meddwl am yr holl amseroedd da a gafodd gyda'i daid, gan drio'i orau i beidio â meddwl na fyddai mwy ohonynt. Doedd Taid erioed wedi colli diwrnod mabolgampau'r ysgol, yr un gêm bêl-droed, na hyd yn oed y ddrama ddwl yna yn yr ysgol lle bu'n rhaid i Owain wisgo fel iâr anferth. Ac roedd popeth a ddysgodd Owain am fyd natur wedi deillio o'r adegau hynny pan âi'r ddau ohonyn nhw am dro bob bore Sul rhwng oedfa'r capel a chinio rhost ei fam.

Meddyliodd hefyd am yrfa rygbi ei daid, a dechreuodd deimlo'n flin am beidio siarad gydag o pan oedd gartre yn Nolgellau er mwyn cael mwy o wybodaeth amdano a chlywed ei hanes.

Daeth Alun a Rhodri i fyny i'r llofft ar ôl cinio gan sleifio cwpwl o roliau bara i Owain.

'Diolch, hogiau,' dywedodd wrth iddo gnoi'r bara crystiog. 'Fedrwn i ddim wynebu gweddill yr ysgol.'

'Wela i ddim bai arnat ti,' meddai Rhodri. 'Roedd Richie Davies yn holi lle oeddet ti. Ddywedais i wrtho dy fod ti wedi mynd i gael treial i dîm dan 13 y Dreigiau!'

'Ha ha,' chwarddodd Owain cyn sylweddoli y byddai Davies yn sicr o ddarganfod y gwir a gwneud ei fywyd yn anoddach fyth.

Cydiodd Owain yn ei hwdi a chodi llaw ar ei ffrindiau wrth iddo ruthro o'r stafell, gan barhau i fwyta'r bara.

Y tu allan, arhosodd ar ben y dreif hir nes gwelodd o'r car lliw arian yn dod drwy'r gatiau. Rhedodd i lawr y dreif, gan ddod i gyfarfod y car wrth iddo ddod rownd y tro.

'Nefi, Owain, ddychrynaist ti fi,' dywedodd ei dad.

'Ddychrynaist ti fi hefyd,' dywedodd Owain. 'Beth sy'n bod ar Taid?'

'Aeth o'n sâl mwyaf sydyn, ac roedd angen iddo weld arbenigwr,' esboniodd. 'Dwi newydd ffonio'r ysbyty ac mae o eisoes wedi setlo. Awn ni yno'n syth bìn.'

'Helô, Mam,' meddai Owain wrth iddo neidio i sedd gefn y car.

'Ti'n edrych fel dy fod ti wedi colli pwysau. Wyt ti'n bwyta'n iawn?' gofynnodd.

'Ydw, dydi'r bwyd ddim yn rhy ddrwg, ond ches i ddim cinio – oes 'na siawns y gallwn ni gael byrgyr sydyn ar y ffordd?'

Eisteddodd Owain yn bwyta yn stafell aros yr ysbyty tra oedd ei dad yn siarad gyda'r meddygon. Roedd ei daid yn cysgu a fyddai o ddim yn cael gweld neb tan y bore, ond roedd hi'n iawn iddyn nhw bicio i mewn am eiliad i gael cip arno.

Gafaelodd Owain yn llaw ei fam a cherddodd y ddau i mewn i stafell dywyll yn llawn tiwbiau a pheiriannau'n fflachio.

'Helô Taid,' sibrydodd Owain, mor dawel fel na allai'i fam hyd yn oed ei glywed. 'Gwnewch yn siŵr eich bod chi'n gwella. Mae llawer o bethau i ni eu trafod.'

Eisteddodd y teulu yn y stafell aros am awr, yn siarad am

hyn a'r llall a chyfnewid newyddion am y fferm a'r ysgol. Er gwaetha'r sefyllfa, cododd y prynhawn gryn dipyn ar galon Owain ac roedd gwên ar ei wyneb wrth iddo gofleidio a ffarwelio â'i fam y tu allan i'r ysgol.

Piciodd i mewn i stafell gyffredin y staff er mwyn rhannu'r newyddion gyda Mr Mathews, a diolchodd yr athro iddo.

Wrth i Owain droi i adael, oedodd am eiliad, cyn troi yn ôl at ei athro. 'Mr Mathews, pam na chwaraeodd Taid dros Gymru os oedd o gystal chwaraewr ag y mae pawb yn ei ddweud?'

'O, Owain, fy ngwas i,' meddai'r hen ddyn yn araf, ei lygaid yn edrych cyn dristed ag unrhyw lygaid welodd Owain erioed. 'Dim ond dy daid all ddweud y stori yna wrthat ti. Wsti be, dwi'n meddwl amdano fo bob diwrnod bron, a bydda i'n teimlo'n ddigalon bob tro. Ond mae'n ddrwg gen i, nid fy lle i ydi dweud y stori honno wrthat ti. Rŵan, ffwrdd â ti – mae hi bron yn amser diffodd y golau.'

Brasgamodd Owain i fyny'r grisiau a symud yn gyflym drwy'r llofft. Gwnaeth hi'n amlwg i'w gyd-letywyr nad oedd o eisiau siarad, felly gadawon nhw lonydd iddo.

Ddaeth cwsg ddim yn hawdd, ac roedd gobennydd Owain yn wlyb domen pan ddaeth o'r diwedd.

PENNOD
PEDWAR AR DDEG

Cryfhaodd iechyd Dewi ac aeth rhieni Owain yn ôl adref i Ddolgellau wedi rhyw wythnos. Mwynhaodd Owain weld ei rieni – roedden nhw'n dod i'w gasglu bob diwrnod ar ôl iddo orffen ei waith cartref, yn mynd â fo am fwyd ac yna'n mynd i'r ysbyty er mwyn iddo weld Taid.

Eisteddai'r tri ohonyn nhw gyda Dewi am hanner awr bob nos, gan ei gadw'n ddiddig drwy adrodd newyddion a straeon am hwn a'r llall. Wrth iddyn nhw godi i adael un noson, galwodd Dewi ar Owain yn ei ôl, er mwyn iddo gael gair tawel efo fo.

'Dwi'n clywed dy fod ti'n gwneud yn dda efo'r rygbi. Mae'n siŵr ei fod o'n anodd i chdi fynd i'r afael ag o pan mae popeth arall yn newydd i ti hefyd. Ond dal ati, Owain; mae o'n goblyn o sbort. Pan dwi'n edrych yn ôl, dwi'n siŵr mai fy nyddiau rygbi i oedd rhai hapusaf fy mywyd ...'

'Dwi'n gwneud yn olreit,' meddai Owain, 'ond dwi'n dal i gael trafferth efo llawer o bethau.'

'Wel, bydd rhaid i ti ddweud yr hanes wrtha i y tro nesa. Ydi Arfon Mathews yn dal i hyfforddi yng Nghraig-wen?'

'Na'di,' meddai Owain. 'Mae o'n dysgu Hanes i mi, ond dydi o ddim yn ymwneud â rygbi bellach. Ddywedodd o ei fod o'n arfer chwarae efo chi.' Oedodd am funud. 'Ga i ofyn cwestiwn i chi, Taid?'

Cododd yr hen ddyn ei ben ac edrych i fyw llygaid Owain. 'Wn i beth wyt ti'n mynd i'w ofyn i mi ac mae gen i ofn nad ydw i'n mynd i dy ateb di rŵan. Mi faswn i'n cynhyrfu'n lân wrth ail-fyw'r profiad, a does gen i mo'r nerth. Ond gwranda, mae gêm gyntaf Pencampwriaeth y Chwe Gwlad ym mis Chwefror. Os ydw i 'nôl ar fy nhraed erbyn hynny mi af i â ti i'r gêm honno a gawn ni ddiwrnod i'r brenin. A ddyweda i hanes fy holl yrfa rygbi wrthat ti, os nad ydi o'n rhy ddiflas ...'

Cododd Owain a gwenu. 'Fyddai hynny'n wych, Taid. Dwi'n gobeithio y gwnewch chi wella'n fuan iawn.'

Ac yntau yn ôl yn y Bs, trodd gêm bwysig yn erbyn tîm B Glan-taf, eu gelynion lleol, yn fuddugoliaeth ysgubol i Graig-wen, ac Owain yn amlwg oedd seren y gêm. Ond er hynny, cafodd dipyn o sioc pan glywodd newyddion Rhodri.

'Ti yn yr As,' ebychodd Rhodri wrth iddo redeg i fyny'r coridor yn gynnar un bore, 'fel canolwr mewnol!'

Gwelwodd Owain. 'O na ...'

'Beth?' meddai Rhodri. 'Mae hynna'n goblyn o fraint! Wnest ti ddim dechrau chwarae tan dri mis yn ôl – a dyma ti, yn chwarae i dîm cynta Craig-wen, yn rownd gynta'r cwpan dan 13. Chlywais i erioed y fath beth!'

Doedd Owain ddim yn rhannu gorfoledd Rhodri, a phan welodd o wyneb Alun, gwyddai fod ei ffrind yn deall hefyd.

'Dal dy ddŵr, Rhodri,' meddai Alun. 'Protheroe sy'n chwarae canolwr mewnol i'r As, a fo ydi ffrind gorau Davies, felly dydyn nhw ddim yn mynd i fod yn rhy hapus ei fod o wedi cael ei ollwng.'

'A dwi'n sicr na fydd Richie yn rhy hapus o 'nghael i'n sefyll y drws nesa iddo,' cwynodd Owain.

Roedd Alun yn iawn. Roedd gwep Richie Davies yr un lliw â siwmper Cymru pan welodd o Owain yn dod i mewn i'r dosbarth.

Roedd yr athro eisoes yn ysgrifennu ar y bwrdd du, felly allai Davies ddim dweud dim byd wrth Owain, ond deallodd hwnnw'r neges yn iawn pan wnaeth bwli'r dosbarth bwyntio at ochr ei wddf a thynnu ei fys ar ei draws yn araf.

Llusgodd y diwrnod i Owain a bu'n rhaid i fwy nag un athro ei stopio rhag breuddwydio wrth iddo geisio meddwl am ffordd o'i gael ei hun allan o'r twll yma. Doedd ganddo ddim ofn Davies mewn gwirionedd, ond roedd rygbi'n newydd iddo ac roedd ganddo gymaint i'w ddysgu am y gêm. Roedd chwarae rygbi cwpan i dîm A yr ysgol yn gyfrifoldeb difrifol yng Nghraig-wen.

Ffoniodd tad Owain y noson honno.

'Owain, sut hoffet ti fynd i weld tîm rygbi Gogledd Cymru yn chwarae yn erbyn clwb Caerdydd nos Wener – gêm yn Uwchgynghrair Cymru a'u hymweliad cynta â Pharc yr Arfau? Mi alla i dy nôl di o'r ysgol.'

'Byddai hynny'n grêt, Dad, ond fydd rhaid i mi fod yn ôl erbyn naw o'r gloch, ac mae gen i gêm bwysig fore Sadwrn.'

'Dos i ofyn i Mr Mathews am ganiatâd i ddod 'nôl yn hwyrach; dwi'n siŵr bydd o'n iawn am y peth.'

Cytunodd Mr Mathews, a chafodd Owain bas arbennig yn caniatáu iddo fod allan o'r ysgol tan ddeg o'r gloch. Gofynnodd sut oedd taid Owain yn teimlo a chofiodd ato'n gynnes iawn unwaith eto.

'Dwi heb weld Dewi ers rhy hir ... wyt ti'n meddwl y byddai o'n hoffi i mi fynd i edrych amdano?'

Wyddai Owain ddim sut i'w ateb ond dywedodd wrth Mr Mathews y byddai'n gofyn i'w dad.

PENNOD PYMTHEG

Erbyn dydd Gwener, roedd Owain yn edrych ymlaen at fynd i weld ei gêm fawr gyntaf. Daeth ei dad i'w nôl erbyn 4.30 y pnawn ac fe alwon nhw heibio'r ysbyty i weld Dewi.

Roedd llai o wifrau o gwmpas ei wely erbyn hyn ac roedd o mewn stafell heulog, olau gyda thri gŵr arall.

'Felly ti ar dy ffordd i Barc yr Arfau, Owain,' meddai ei daid. 'Mae o'n lle anhygoel, a welais i chwaraewyr gwych yno ers talwm hefyd – glywaist ti erioed am Gareth Edwards? Roedd yn chwaraewr rhagorol. A JPR a Gerald Davies. Nefi, roedd yn lle hudolus. Hudolus.'

Estynnodd yr hen ŵr am ei locer a thynnu papur hanner canpunt ohono.

'Cymera hwn, Caradog,' meddai wrth dad Owain, gan roi'r arian iddo, 'a phryna grys tîm Gogledd Cymru i'r hogyn. Mi fyddan nhw angen gymaint o gefnogaeth â phosibl heno.'

'Diolch yn fawr iawn, Taid,' meddai Owain, wedi gwirioni. 'Dwi'n addo y gwna i ruo ar ran y ddau ohonon ni!'

Wedi gwibdaith i siop y stadiwm i brynu'r crys aeth Owain a'i dad i'w seddi yn entrychion Eisteddle'r Gorllewin.

Mwynhaodd y ddau yr awyrgylch cyn y gêm a darllenodd Owain y rhaglen yn awchus, gan lyncu mwy a mwy o fanylion ar gyfer y gronfa ddata rygbi yn ei ben roedd Alun wedi dechrau ei llenwi.

Trodd Owain at ei dad ugain munud cyn y gêm. 'Dwi ar lwgu! Hoffech chi gi poeth?'

'Na, dwi'n iawn,' meddai ei dad. 'Oes gen ti ddigon o arian?'

'Mae gen i rywfaint dros ben ar ôl talu am y crys ... fydda i ddim yn hir.'

Gwibiodd Owain i lawr y grisiau serth yn ofalus. Aeth heibio bocs y wasg, lle roedd gohebwyr wrthi'n tapio'u gliniaduron, yn astudio rhaglen y gêm ac yn edrych ar yr enwau ar eu taflenni tîm. *Mae honna'n edrych yn swydd braf*, meddyliodd Owain.

Y tu ôl i'r stand roedd ardal eang yn llawn stondinau cofroddion, bariau a bwytai. Archebodd Owain fwyd a chochodd pan wenodd y weinyddes arno wrth roi newid iddo.

Edrychodd ar ei oriawr wrth iddo gnoi'r sosej, gan werthfawrogi'r awyrgylch trydanol. Roedd y lle yn ferw o grysau du a gwyrdd ond roedd digon o rai du a glas yno hefyd.

''Co, yr ionc!' Daeth cri o'r tu ôl iddo.

Trodd Owain a gweld Richie Davies a Gwion Protheroe yn pwyntio ato. Gwisgai'r ddau grysau Caerdydd ac roedd y ddau ddyn oedd gyda nhw – eu tadau, mae'n debyg – yn gwisgo'r un crysau ond mewn maint anferthol.

''Na'r bachan sy'n fy rhwystro i rhag bod ar y tîm,' poerodd Protheroe.

'Wel,' mwmialodd tad Protheroe, ''wy ddim yn disgwyl i hynna bara fawr hirach. Allwn ni ddim cael bois y Gogs yn cynrychioli Coleg Craig-wen ar Barc yr Arfau, 'chan.'

Trodd Owain, gan ysu i ddianc rhag y llu o grysau du a glas, yn enwedig y pedwar yna. Aeth am y gornel agosaf, a dod o hyd i ddrws. Aeth ei chwilfrydedd yn drech nag o; agorodd y drws a chamu yn ei flaen.

Dychrynodd Owain pan ddechreuodd y llawr symud oddi tano, ond yna sylweddolodd ei fod mewn rhyw fath o lifft. Gwasgodd yr holl fotymau ac roedd yn falch nad oedd neb o gwmpas pan agorodd y drws yr eilwaith.

Edrychodd Owain o'i gwmpas a gweld wal yn llawn lluniau o dimau'r gorffennol, a chafodd ei atgoffa o'r neuadd fawr yn ôl yng Nghraig-wen.

Roedd yno fwrdd wedi'i osod gyda channoedd o fyrbrydau bychan blasus yr olwg. Dyfarodd Owain fwyta'r ci poeth.

Ar un ochr i'r stafell roedd ffenest enfawr, a gallai Owain weld y llifoleuadau drwyddi, yn ogystal â chefnogwyr yn yr eisteddfa gyferbyn. Sylweddolodd ei fod o mewn rhyw fath o ardal ar gyfer pwysigion.

'Felly ti'n bwysigyn nawr, wyt ti?' Torrodd llais ar y tawelwch.

Trodd Owain a gweld Dic, oedd, yn rhyfedd iawn, yn dal i wisgo ei grys a'i siorts du.

Pwyntiodd Owain at y wal lle roedd yna lun o grŵp oedd yn gwisgo yr un cit. 'Dy dîm di ydi hwnna?'

'Wel, mae e'n un o'r timau ddaeth ar fy ôl i,' dywedodd. 'Y tîm chwaraeodd ar Barc yr Arfau yn 1981. Gipion nhw Gwpan Cenedlaethol Ysgolion Cymru dan 16 am dair blynedd yn olynol. Tîm gwych!'

Credai Owain fod Dic yn edrych braidd yn ifanc i gofio hynny ond ddywedodd o ddim byd.

'Wn i ddim sut ddes i mewn i'r fan yma. Dwi ar goll,' meddai.

'Ti wastad ar goll,' chwarddodd Dic. 'Wyt ti yma ar gyfer y gêm?'

'Ydw, mae Dad yn yr eisteddle i fyny'r grisiau.'

'Sut mae'r rygbi'n gafael erbyn hyn?' gofynnodd Dic.

'Grêt ... wel, na'di ... mae o'n ofnadwy a dweud y gwir,' meddai Owain. 'Dwi wedi cael fy newis i dîm A ar gyfer y gêm gwpan ond does yna'r un o'r chwaraewyr eisio i mi chwarae. Bore fory mae'r gêm, a dwi'n ystyried smalio 'mod i'n sâl.'

'Paid â bod yn ddwl,' meddai Dic. 'Beth yw'r peth gwaethaf all ddigwydd?'

'Gallen ni golli a gallwn i gael y bai unwaith eto,' atebodd Owain.

'Mae timau'n colli drwy'r amser ac mae yna wastad rhywun ar fai. Ddown nhw dros y siom, ac fe wnei di hefyd. Mae gen ti gyfle i ddangos beth alli di'i wneud ar lefel uwch nag erioed. Rhaid i ti fynd amdani. Sut wyt ti wedi bod yn chwarae ers i mi dy weld di tro dwethaf? Wnaeth y taclo wella?' gofynnodd Dic.

'Do a dweud y gwir,' meddai Owain. 'Dwi wedi darganfod pryd ydi'r amser gorau i ddeifio a phryd i fwrw. Wnes i gwpwl o dacls gwych yn y gêm ddwytha.'

'Grêt, felly caria 'mlaen i wneud hynny. Yn safle'r cefnwr wyt ti'n chwarae?'

'Na, canolwr mewnol. Ac mae'r maswr yn fy nghasáu i.'

'Hmm, gallai hynny fod yn anodd,' meddai Dic. 'Cofia wneud yn sicr dy fod ti'n wastad yna i gymryd y bàs, hyd yn oed os na ddaw hi. Nawr, byddai'n well i ti ddychwelyd i dy sedd neu fydd dy dad yn methu deall ble wyt ti. Pob lwc fory, a phaid ag anghofio galw heibio i ddweud shw'mai.'

Roedd Owain ar fin diolch i Dic pan glywodd y drws yn agor y tu ôl iddo.

'Pwy wyt ti?' gofynnodd stiward. 'Sut dest ti i mewn i'r fan hyn?'

'Ddes i allan o'r lifft ar y llawr anghywir,' eglurodd Owain.

'Gyda phwy oeddet ti'n siarad?'

'Dim ond Dic fan hyn,' atebodd Owain, gan droi i bwyntio ato ond doedd neb yno.

'Does neb 'ma,' meddai'r stiward.

Roedd Owain yn ddryslyd. I ble'r aeth Dic mor gyflym? Chlywodd o 'run drws yn agor.

'Roedd o yma eiliad yn ôl.'

'Wel, dyw e ddim 'ma nawr,' dwrdiodd y stiward, gan rythu ar Owain fel petai'n wallgof.

Dychwelodd Owain i'r lifft ac aeth yn ôl i'w sedd yn yr entrychion.

Roedd ei dad yn falch o'i weld. 'Lle wyt ti wedi bod? Ro'n i'n dechrau poeni.'

'O, wnes i daro ar gwpwl o ffrindiau ysgol ac fe ddechreuon ni siarad,' meddai.

Roedd y gêm eisoes wedi dechrau ac roedd Owain wedi cynhyrfu o fewn dim. Rheolai blaenwyr pwerus tîm rygbi Gogledd Cymru y gêm ar y dechrau, ond y munud yr hawliodd Caerdydd y bêl yn ôl o'r sgrym a'r llinell, aeth ias o gyffro drwy'r stadiwm. Roedd llinell ôl y tîm cartref yn llawn o sêr ac fe ddawnsion nhw drwy daclau tîm Gogledd Cymru dro ar ôl tro.

Gyda dim ond tri munud yn weddill, roedd Caerdydd ar y blaen o 24-22 a phrin gallai Owain wylio.

Symudai blaenwyr tîm Gogledd Cymru i fyny'r cae yn araf, gan wthio'r sgarmes gan bwyll bach tua 22 Caerdydd. Er i fflancwyr tîm y Gogledd ruthro i mewn, daliai'r tîm arall eu tir. Yn y diwedd, cafodd y sgarmes ei dymchwel a dyfarnwyd sgrym i dîm Gogledd Cymru.

Roedd llai na munud o'r gêm yn weddill pan ddaeth y bêl allan o'r sgrym ar ochr tîm Gogledd Cymru. Sylwodd Owain fod eu maswr wedi camu ychydig droedfeddi yn ôl ac roedd yn sychu ei ddwylo ar gefn ei siorts.

'Maen nhw'n mynd am gôl adlam,' eglurodd Owain i'w dad.

Gwenodd hwnnw arno. 'Mae'n swnio fel dy fod ti'n deall beth yw beth.'

Yna troellodd mewnwr Gogledd Cymru y bêl allan i'w rif deg. Roedd fel petai amser wedi aros yn stond wrth i'r maswr ollwng y bêl i'r ddaear. Yr eiliad y trawodd hi'r ddaear, rhoddodd y maswr gic galed gan achosi i'r bêl adlamu.

Hedfanodd yn uchel i'r awyr, gan ddechrau powlio drosodd fel cwningen yn ceisio dianc rhag ci. Daliai'r dorf ei gwynt wrth i'r bêl gyrraedd ei hanterth, hofran yn yr awyr am eiliad, a dechrau plymio'n araf i'r ddaear.

Cwympodd reit rhwng y pyst unionsyth, a bu'n rhaid i'r dyfarnwr redeg i wirio cywirdeb y gic. Cododd ei law yn uchel a chwythu'i chwiban.

Roedd y cloc eisoes yn dangos ei bod hi'n ddiwedd y gêm, felly cododd y dyfarnwr ei chwiban i'w wefusau unwaith eto. Roedd y gêm ar ben: 24-25 i dîm rygbi Gogledd Cymru.

Llamodd Owain o'i sedd a chofleidio'i dad. 'Roedd hynna'n wych. Am gêm!'

Bu'r ddau'n trafod y symudiadau a'r diweddglo dramatig yr holl ffordd yn ôl i Graig-wen. Wrth i Owain sefyll yn nrws yr ysgol yn chwifio'i law ar ei dad wrth iddo yrru ymaith, daeth car arall at y drws a neidiodd Davies a Protheroe ohono.

'Felly smo ni moyn cryse du a gwyrdd yn yr ysgol yma,' cilwenodd Davies.

'Dim hyd yn oed rai buddugol?' gofynnodd Owain.

Tawelodd Davies ac edrych ar Protheroe. Agorodd ei geg, ond ddaeth yr un gair allan.

'Wela i chi yn y bore,' gwenodd Owain, cyn anelu am ei wely, gan ddringo'r grisiau ddwy ris ar y tro.

PENNOD
UN AR BYMTHEG

Roedd hi'n bwrw glaw y bore canlynol a chwipiai gwynt maint oddi ar Fae Caerdydd. Crynodd Owain wrth iddo wisgo crys gwyrdd a gwyn Coleg Craig-wen.

'Reit dîm, pawb i wrando,' dywedodd Mr Charles wrth i sŵn stydiau atsain o gwmpas y stafell newid.

'Dyw Coleg Gogledd Hafren ddim yn un o'r ysgolion mwya yn y gystadleuaeth 'ma ond mae ganddyn nhw record ddeche, felly ddylen ni ddim o'u diystyru. 'Wy'n moyn i ni reoli'r gêm o'r cychwyn a 'wy moyn gweld pwyntie ar y bwrdd.'

'Davies, byddai'n well i ti wisgo dy sgidie cicio, a ti angen manteisio ar unrhyw gyfle ddaw o fewn dy gyrraedd yn yr ugain munud cyntaf.'

'Morgan, ti wedi cael tymor da hyd yn hyn, felly gad i ni weld mwy o'r math 'na o chwarae ar y lefel hyn. Cadwa'n agos at Davies a bydd yn barod i gychwyn y symudiade.'

Wrth i Mr Charles fynd yn ei flaen i roi hwb i'r blaenwyr, camodd Davies yn ôl a throi ei ben at Owain.

'Yr unig dro weli di'r bêl heddi yw yn y gic gychwyn. Well i ti ddod i arfer â hynny, y pwdryn,' chwyrnodd o dan ei wynt.

Rhedodd Owain allan ar y cae gyda gweddill y tîm. Roedd tua dau gant o fechgyn yn gwylio, gan gynnwys nifer o'r tîm iau.

Cymerodd Davies y gic gyntaf ond chyrhaeddodd y bêl mo'r llinell ddeg metr a olygai fod yn rhaid i'r timau ddychwelyd i'r canol am sgrym.

'Blêr, Davies,' rhuodd Mr Charles. 'Rhaid i ti fod yn fwy gofalus.'

Gwingodd Davies a chwarddodd rhai o'r bechgyn ifanc o weld y bwli'n anesmwytho.

Daeth yn amlwg fod tîm Coleg Gogledd Hafren yn eithaf da, a nhw oedd ar y blaen yn dilyn cic gosb o'r llinell hanner a sgoriwyd gan rif 8, sef bachgen enfawr gyda gwallt fflamgoch.

Ciciai Davies bob tro y derbyniai'r bêl ond methodd â chyrraedd yr ystlys yn ddiogel ddwywaith neu dair gyda'i giciau amddiffynnol. Daeth yn amlwg i Owain nad oedd o'n mynd i basio'r bêl iddo. Yn ddistaw bach, roedd yn eithaf balch o hynny gan na fyddai siawns iddo ollwng y bêl os nad oedd hi'n cael ei phasio iddo. Golygai hefyd na fyddai cyfle iddo wneud ffŵl ohono'i hun unwaith eto.

'Dechreuwch symud y llinell,' rhuodd Mr Charles wrth i faswr Craig-wen gicio'r bêl i fyny'r cae.

Y tro nesaf y cafodd Davies afael ar y bêl, fe'i taflodd fel enfys uwchben Owain i'r canolwr allanol, gan grechwenu wrth i'r bêl lanio ym mreichiau hwnnw cyn iddo wibio am gais.

'Symudiad da, Davies,' dywedodd Charles wrth iddo redeg ymlaen gyda photel o ddŵr wrth i'r ciciwr baratoi am y trosiad. 'Fe fwrodd y bàs hir 'na nhw oddi ar eu hechel. Caria 'mlaen i chwarae fel yna ac fe enillwn ni.'

Methodd Davies y trosiad a methu cic gosb arall yn fuan wedyn.

Gyda'r sgôr yn 5-3 ar hanner amser, roedd Mr Charles ychydig yn bryderus.

'Davies, beth sy'n bod ar dy gicio di heddi? Os nag yw dy

droed di ar ei gorau, does dim pwynt i ti gicio am yr ystlys bob tro ti'n cael y bêl. Y tro cynta wnest ti adael i'r olwyr redeg, sgorion nhw gais. 'Wy'n moyn gweld llawer mwy o hynna yn yr ail hanner.'

'A bod yn onest, syr, does gen i ddim ffydd yn fy nghanolwr,' meddai Davies, gan amneidio i gyfeiriad Owain. 'Dyw e erioed wedi chwarae yn y safle 'na i'r tîm yma o'r blaen a 'wy ddim yn meddwl ei fod e'n ddigon da ...'

'Olreit, Davies, dyna ddigon,' torrodd Mr Charles ar ei draws. 'Dewisais i Morgan achos 'mod i'n meddwl ei fod e'n ddigon da. Nawr gwna di'n siŵr ei fod e'n cael digon o gyfle i gael y bêl yn yr ail hanner. Mas â chi.'

Enillodd blaenwyr Craig-wen y ras am y bêl o'r gic gychwyn, gan ffurfio ryc yn syth. Daeth y bêl yn ôl i Vincent, y mewnwr. Taflodd yntau hi i Davies.

Torrodd y maswr yn rhydd a rhuthro heibio i ddau o daclwyr Coleg Gogledd Hafren. Gan mai dim ond dau amddiffynnwr oedd yn cysgodi'r tri bachgen oedd gan Graig-wen ar y tu allan, roedd hi'n edrych fel petai cais yn bosib. Taflodd Davies y bêl i gyfeiriad Owain ond anelodd hi tua throedfedd yn uwch na'r hyn roedd Owain wedi'i ddisgwyl.

Crafangodd Owain am y bêl wrth iddi fownsio ymlaen oddi ar ei ysgwydd a bwrw'r llawr. Chwibanodd y dyfarnwr am drawiad ymlaen gan roi'r sgrym i Goleg Gogledd Hafren.

'Dere 'mlaen, Morgan,' cwynodd Mr Charles, 'dal dy afael arni.'

'Ie,' crechwenodd Davies, 'dal dy afael arni, y slebog.'

Gwgodd Owain a rhythu ar Davies. Gwyddai fod y maswr wedi gwneud hynna ar bwrpas ond doedd dim pwynt cwyno.

Roedd Owain yn barod am y bêl pan ddaeth hi allan y tro nesaf. Bu'n sydyn i ymateb a chipio'r bêl chwe modfedd oddi ar y ddaear, jest o dan ei bengliniau. Sadiodd a sythu, cyn taflu pas berffaith i'r canolwr arall, a chwalodd drwy dacl i sgorio cais.

'Pas wych, Morgan,' meddai Mr Charles wrth iddo ruthro yn ei flaen unwaith eto.

Daeth y gêm i ben gyda Chraig-wen yn fuddugol o 10-3, ond doedd yr hyfforddwr ddim yn rhy hapus â'r perfformiad.

'Mae 'da ni lawer o waith i'w wneud, bois, ac mae angen i ni roi sylw arbenning i'r ffordd mae'r llinell ôl yn symud. Bydd ymarfer ychwanegol bore fory ar ôl gwasanaeth yr eglwys.'

Griddfanodd y tîm a newid o'u cit mewn distawrwydd. Edrychodd Gavin draw at Owain a rholio'i lygaid gan wenu. Gwelodd Lewis o'n gwneud hynny a gwenodd yntau, er syndod i Owain. Ond eto roedd yn falch – efallai nad oedd y tîm yma'n rhy ddrwg wedi'r cwbl.

Wrth iddyn nhw adael y stafell newid, trodd Richie Davies i wynebu Owain.

'Roeddet ti'n lwcus gyda'r bàs 'na heddi, Morgan, ond does 'na neb yn y tîm moyn ti 'ma. Paid â gwneud dy hun yn rhy gyfforddus yn y crys rhif 12 'na.'

'Pe bawn i'n dy sgidiau di, atebodd Owain, 'faswn i'n poeni mwy am yr hogyn sy'n gwisgo'r crys rhif 10, ar ôl y perfformiad yna.'

Yna trodd a cherdded at Alun a Rhodri, a oedd yn aros amdano, y wên ar ei wyneb yn lletach nag unrhyw un o'r ciciau fethodd Davies eu bwrw drwy'r pyst.

PENNOD DAU AR BYMTHEG

Gohiriwyd ymarfer y bore wedyn ac roedd Owain yn falch, gan fod eira cyntaf y gaeaf wedi dechrau chwythu o Fae Caerdydd. Cafodd Owain ei atgoffa y byddai'n Nadolig cyn bo hir ac y byddai'n dychwelyd adref i Ddolgellau.

Treuliwyd yr wythnos ganlynol yn adolygu ar gyfer profion, ond dywedodd Mr Charles wrthyn nhw yn ystod sesiwn ymarfer y byddai ail rownd y cwpan yn cael ei chynnal ar y dydd Sadwrn ar ôl diwedd y tymor; byddai'n rhaid i Owain ohirio mynd adref, felly.

'Newyddion da i ti, Morgan. Ry'n ni'n chwarae lan yng Nglan Efa. Dyw fan'na ddim yn rhy bell o dy gartre di, nag yw e?' holodd Charles.

Glan Efa, meddyliodd Owain. *Dyna ble'r aeth rhai o'r bechyn o'r ysgol gynradd. Os yden nhw wedi dechrau chwarae rygbi, gall fod yn gêm ddifyr.*

Aeth arholiadau'r Nadolig yn weddol dda i Owain, er ei fod o'n dal i stryffaglu gyda'i Fathemateg, a chafodd papur Hanes Mr Mathews y gorau arno.

'Dwi wastad yn cymysgu rhwng Llywelyn Fawr a Llywelyn ein Llyw Olaf,' cwynodd wrth ei dad pan ddaeth hwnnw i'r ysgol i gasglu ei gesys ar ddiwrnod ola'r tymor.

Chwarddodd ei dad a dweud wrth ei fab am beidio â phoeni. 'Mae Mr Mathews yn ddyn rhesymol. Mae o'n gwybod pa mor galed rwyt ti wedi bod yn gweithio.'

Caeodd hynny geg Owain am ychydig eiliadau wrth iddyn nhw orffen parcio'r car.

'Mae'n gas gen i orfod aros dros nos,' dywedodd, 'ond mae Mr Charles eisio i ni i gyd fynd i fyny ar y bws gyda'n gilydd.'

'Paid â phoeni,' meddai ei dad, 'dim ond un noson arall ydi hi, a bydd dy fam a minnau yno fory.'

'A Taid?' holodd Owain.

'Wel ... dwi ddim yn credu ei fod o'n ddigon da i ddod. Mae o wedi bod adref am ychydig wythnosau rŵan ond dydi o ddim wedi bod allan o'r tŷ eto, a beryg y byddai trip fel hyn yn ormod iddo. Weli di gryn dipyn arno fo pan ddoi di adref – mae o wedi symud i mewn i dy stafell di!'

Doedd Owain ddim yn rhy hapus i glywed na fyddai o'n cael ei hen lofft yn ôl, ond o wybod mai Taid oedd yn ei defnyddio, roedd o'n ddigon bodlon.

Ffarweliodd â'i dad a chrwydro i mewn i'r ysgol. Roedd y rhan fwyaf o'i ffrindiau eisoes wedi mynd adref a dim ond Rhodri – oedd ar y fainc i'r As – oedd ar ôl yn Llofft Dewi.

'Wel, Owain,' meddai, 'ti wedi cael bedydd tân yng Nghraig-wen!'

'Dwi'n gwybod,' atebodd. 'Dwi'n meddwl y basa'n well gen i fod wedi cadw allan o drwbwl a chwarae i'r Cs, ond mae o wedi bod yn hwyl – ar brydiau!'

'Callia, wir!' dwrdiodd Rhodri. 'Byddai cannoedd o fechgyn yr ysgol yma wrth eu boddau'n cael hanner dy dalent di fel chwaraewr. Anghofia am bobl fel Davies a Protheroe; mae gweddill yr ysgol wedi gwirioni dy fod ti wedi dod yma – hyd yn oed os nad ydyn nhw'n sylweddoli hynny eto.'

Edrychodd Owain drwy'r ffenest wrth i'r olaf o'r lletywyr adael. Daeth cnoc ar y drws.

'Morgan, Ceredig, dewch 'da fi,' meddai Mr Charles. 'Cyfarfod tîm.'

Dilynodd y ddau yr hyfforddwr i lawr i'r ffreutur lle roedd y bwrdd wedi'i osod ar gyfer tua thri deg o bobl.

'Mae'r 13As yn grŵp gwych o chwaraewyr ac mae 'da ni obeithion mawr ar eu cyfer,' dywedodd Mr Charles. 'Felly ... ry'n ni wedi penderfynu cael parti Nadolig bach, ar gyfer criw o fois ifanc arbennig.'

Gwasgodd Owain a Rhodri i mewn ar ben y bwrdd wrth i ddwsin o athrawon ddod i'r ffreutur yn cario platiau oedd yn drymlwythog o dwrci a ham.

'Mwynhewch eich hunain,' meddai Mr Charles, 'ond cofiwch fod 'da chi gêm bwysig am un o'r gloch fory lan yn y gogledd. Fydd 'da ni ddim pwdin na chacen Nadolig i chi ar ôl hyn a 'wy'n gobeithio y cewch chi i gyd nosweth dda o gwsg fel eich bod yn medru mynd am adref ar ôl buddugoliaeth arall.'

Awr yn ddiweddarach llusgodd Owain a Rhodri eu hunain i fyny'r grisiau gan amau'n gryf a allen nhw redeg un cam yn ystod y pedair awr ar hugain nesaf.

'Dim ond cadw'r fainc yn gynnes fydda i, o leiaf,' griddfanodd Rhodri, gan gydio yn ei fol.

'Dwi'n siŵr cei di gêm ar ôl gweld y ffordd roedd Dafydd Vincent yn stwffio'i hun efo ail blatiad o fwyd,' chwarddodd Owain.

Roedd Owain yn iawn, achos y bore wedyn, roedd Dafydd yn edrych braidd yn welw wrth i bawb gael brecwast. Wedi i Richie Davies chwifio sosej o dan ei drwyn, llamodd y mewnwr o'i sedd a gwibio allan o'r neuadd.

'Mae'n edrych fel y byddi di'n chwarae heddi, Ceredig,' cilwenodd Davies. 'Ac mae'n well i ti gael y bêl mas i fi yn glou.' Trodd Rhodri hyd yn oed yn fwy gwelw na Vincent wrth i Davies boeri'r geiriau ato.

Roedd y daith fws i'r gogledd yn dawel ac er bod Gavin Johnston wedi ceisio codi canu fwy nag unwaith, wnaeth fawr o neb ymuno.

Eisteddodd Rhodri ac Owain yng nghefn y bws ac am unwaith, Owain oedd yn ceisio codi calon Rhodri. 'Byddi di'n iawn, Rhodri,' dywedodd. 'Ti wedi cael tymor grêt yn y Bs a wnaiff cin pac ni chwalu'r hogia 'ma. Jest cadwa dy symudiadau'n syml a rho'r bêl i Davies – gad iddo *fo* wneud llanast o bethau.'

'Ia, ond os gwnaiff o lanast, fi fydd yn cael y bai,' cwynodd.

Wyddai Owain ddim sut i ymateb i hynny.

Daeth y bws i stop o flaen ysgol Glan Efa fel roedd mam a thad Owain yn parcio'r car. Ciwiodd i ddod oddi ar y bws, cyn rhedeg atyn nhw.

'S'mai, Mam?' gwaeddodd, gan gamu yn ôl wrth i'w fam geisio roi coflaid iddo.

'Dim o flaen yr hogia, ia?' chwarddodd hithau, ond roedd tinc bychan o siom yn ei llais.

'Byddai'r tynnu coes yn ddiddiwedd pe baen nhw'n gweld hynna,' atebodd.

'Pob lwc heddiw, boi,' dywedodd ei dad. 'Byddwn ni'n dy gefnogi di gant y cant. Hwn fydd y tro cynta i mi wylio un o'r Morganiaid yn chwarae rygbi.'

Rhedodd Owain ymaith, gan sylweddoli nad oedd ei dad

erioed wedi gweld ei dad yntau ar y cae ac na allai o ddweud hanes ei gampau rygbi wrtho, fel roedd Mr Mathews wedi medru gwneud.

Newidiodd y tîm i'w streipiau gwyrdd a gwyn cyn rhedeg i'r cae, yn barod am y frwydr.

'Morgan,' rhuodd llais o ben draw'r cae. 'Ti fel tylwythen deg!'

Edrychodd Owain draw a gweld bachgen bochgoch anferth yn gwisgo lliwiau Glan Efa. Roedd 'Cyrri' Roberts yn enwog yn Nolgellau am ei archwaeth bwyd iachus ac am feddu ar y chwarddiad uchaf yn y sir.

'A ti'n ddim byd mwy na thanc!' gwaeddodd yn ôl arno.

Trodd Davies a gwgu ar Owain. 'Cau dy geg, y pwdryn,' ysgyrnygodd. 'Smo ni moyn tynnu coes yr ioncs 'ma, ni moyn eu gwaed nhw.'

Trodd Owain ei gefn ar Richie Davies a pharatoi am y gic gychwyn.

Edrychai Rhodri yn fwy nerfus fyth, wedi iddo sylweddoli na fyddai'r gêm yn un hawdd i bac Craig-wen – a llyncodd Owain yn galed pan welodd pa mor fawr oedd bechgyn deuddeg mlwydd oed Glan Efa. Roedd 'Cyrri' Roberts yn anferth, ond roedd yna rai oedd hyd yn oed yn fwy nag o yn chwarae yn yr ail reng.

Roedd cyd-ddisgyblion Owain o'i ysgol gynradd – Lewsyn a Mabon Rhun – yn feibion i ŵr a chwaraeodd yn y gôl i dim pêl-droed Porthmadog. Roedd y tad yn enwog am beidio â gadael yr un gôl i'r rhwyd am ddau dymor cyfan pan chwaraeai dros ei sir. Doedd hi ddim yn edrych fel y byddai fawr o ddim yn mynd heibio i'w feibion chwaith.

Dechreuodd y gêm yn bwyllog, gyda Chraig-wen yn cymryd eu hamser i asesu cryfder eu gwrthwynebwyr. Gofalodd Rhodri fod y bêl yn mynd yn syth i ddwylo Davies a chiciodd y maswr y tair bêl gyntaf a dderbyniodd.

'Iawn, Davies, mae hi'n bryd dod â'r olwyr i mewn i'r gêm,' gwaeddodd Mr Charles.

Wrth i'r gêm fynd rhagddi, daeth yn amlwg fod Glan Efa yn dîm cyfyngedig eu sgiliau a doedd fawr o gyflymder yn eu llinell ôl. Roedd y blaenwyr yn gryf, gan wneud i bac Craig-wen redeg o gwmpas, ond roedd Glyn Jones, y bachwr, yn un chwim ei droed ac roedd Rhodri yn cael digon o feddiant.

Ddeng munud cyn hanner amser, enillodd Craig-wen sgrym a thaflodd Rhodri'r bêl yn gyflym i Davies. Daeth y bêl at Davies mor sydyn fel y pasiodd hi yn syth ymlaen. Sylweddolodd Owain ei fod wedi cael gafael yn y bêl am y tro cyntaf yn y gêm, a doedd o ddim yn bwriadu gwastraffu'r cyfle prin.

Edrychodd canolwyr Glan Efa yn nerfus ar ei gilydd wrth i Owain anelu am y bwlch rhyngddyn nhw. Arhosodd tan yr eiliad olaf a phan ddeifiodd y ddau amddiffynnwr amdano, ochrgamodd a gadael chwaraewyr Glan Efa yn syllu ar ei gilydd yn syn.

Bwriodd Owain drwyddyn nhw, gwibio dros y llinell a thirio'r bêl o dan y pyst. Ciciodd Davies y trosiad ac erbyn hanner amser roedd Craig-wen ar y blaen o 7-0.

''Wy ddim yn rhy hapus gyda hyn,' cwynodd Mr Charles. 'Er ein bod ni ar y blaen, ry'n ni'n gadael i dîm llawer gwannach ein gwthio ni bytu'r lle a smo ni'n chwarae i'n cryfderau o gwbl. Ti'n cael pob help gan Ceredig, Davies, ond smo ti'n cael y bêl mas i'r asgell. All hyn ddim cario 'mlaen.'

Dechreuodd Davies siarad ond yna caeodd ei geg a gwgu ar yr hyfforddwr.

Dechreuodd Craig-wen yr ail hanner yn dda. Roedd chwaraewyr Glan Efa mewn panig ac fe roddon nhw lwyth o giciau cosb i Graig-wen. Gyda phum munud yn weddill, roedd hi'n 16-3 i'r ymwelwyr, ond yna gwnaeth Davies gamgymeriad anferth.

Roedd bechgyn Glan Efa wrthi'n ffurfio llinell pan waeddodd Davies ar Gavin Johnston, 'Gwna'n sicr fod rhywun yn sortio'r Lewsyn 'na mas ... neu ife Tewsyn yw e?'

Stopiodd y brodyr Rhun a rhythu ar Davies. Cymerodd y ddau ychydig gamau tuag ato cyn i'r dyfarnwr chwibanu a'u gorchymyn i ddychwelyd i'w safleoedd. Newidiodd yr awyrgylch ar y cae yn syth. Roedd tîm Glan Efa ar bigau, yn ofni bod eu cyd-chwaraewyr yn mynd i wneud rhywbeth erchyll, ac roedd bechgyn Craig-wen yn gwirioneddol boeni y byddai'n rhaid iddyn nhw dioddef oherwydd twpdra eu capten.

Cafodd y bêl ei dargyfeirio'n ôl i Rhodri o'r llinell, a phan ddaeth o o hyd i Davies, allai hwnnw ddim cael gwared o'r bêl yn ddigon cyflym. Agorodd ei symudiad sydyn fwy o fwlch i Owain, ac wedi cwpwl o basys daeth y bêl yn ôl ato. Gwelodd fwlch ar y tu allan ac aeth amdano, gan wibio ar hyd yr ystlys tua'r llinell gais. Fel roedd o ar fin ei chyrraedd, teimlai fel petai'r haul wedi mynd dan gwmwl, wrth i ffigwr enfawr ymddangos. Deifiodd Owain am y darn o wair yn y gornel a gweiddi 'ie' wrth i'r bêl gyffwrdd y ddaear.

Roedd ei ru nesaf yn llawn poen eithriadol wrth iddo

deimlo gwellt glas Glan Efa yn bwrw i mewn i'w ochr dde, a chwaraewr rygbi anferth yn ei wasgu i mewn i'r ddaear o'r ochr chwith. Cododd Lewsyn Rhun ac edrych i lawr ar Owain.

'Sorri, Morgan, ro'n i'n meddwl mai'r maswr cegog 'na oeddet ti.'

Allai Owain ddim siarad, gan fod y cyfan o'i ochr chwith mewn poen erchyll.

Er mawr gywilydd iddo, y person cyntaf a blygodd i lawr wrth ei ochr oedd ei fam, oedd wedi rhedeg ar draws y cae pan glywodd hi ei sgrech.

'O fy hogyn bach i, wyt ti'n iawn?' llefodd.

'Mae o'n brifo,' cwynodd Owain, 'ond dwi'n meddwl 'mod i'n iawn.'

Cododd, ond bob tro roedd yn symud, neu'n cymryd anadl, saethai llafn o boen drwy ei ochr.

'Efallai ei fod e wedi torri asen,' dywedodd Mr Charles. 'Bydd yn rhaid iddo gael llun Pelydr X wedi'i dynnu.'

Roedd y gêm ar ben i Owain ac unwaith y cafodd o'i archwilio yn yr ysbyty lleol, edrychai fel y byddai'n rhaid iddo gymryd seibiant o'i yrfa rygbi newydd. Roedd dwy o asennau Owain wedi cracio o dan bwysau Lewsyn Rhun ac roedd yn mynd i fod angen digon o orffwys.

'Allwn ni wneud fawr o ddim,' eglurodd y meddyg. 'Mae'r craciau wedi setlo'n barod a dim ond amser all eu gwella.'

Roedd Owain yn siomedig na fyddai ganddo gast plaster deniadol i'w ffrindiau ei arwyddo. Yn hytrach, roedd yn wynebu wythnosau o beidio gwneud dim egnïol a saethau o boen bob tro y symudai.

'Wnaeth Mr Charles ffonio,' dywedodd ei dad wrth iddyn

nhw yrru am adref y noson honno. 'Roedd o eisio gwneud yn siŵr dy fod ti'n iawn. Mi enillon nhw o ddau ddeg un i dri hefyd. Mae o'n dweud eu bod nhw'n chwarae yn erbyn Craflyn yn y gêm gynderfynol.'

Pan ddywedodd ei dad 'nhw', gwyddai Owain nad oedd ganddo siawns o fod yn y tîm ar gyfer y gêm. Byddai'n rhaid iddo jest gobeithio y byddai'n gallu adfer ei le ar y tîm mor fuan â phosib a mynnu chwarae yn y gêm derfynol.

Camodd yn sigledig o'r car ac roedd pob cam yn boenus ofnadwy.

'Dwi'n clywed dy fod ti wedi bod drwy'r felin,' meddai llais o'r lolfa wrth iddo gerdded i mewn drwy'r drws ffrynt.

'Taid!' llefodd Owain. 'Do, ges i 'mwrw i'r llawr gan fynydd o foi o Lan Efa.'

'Dweud yr hanes wrtha i,' meddai'r hen ddyn oedd wedi'i lapio mewn blanced ac yn eistedd ger y tân.

Roedd Owain wrthi'n dweud hanes y gêm hyd at y pwynt lle cafodd o'i anafu, pan ddiflannodd ei fam a'i dad i'r gegin a'r ardd.

'Wnes i gracio asen unwaith,' meddai ei daid. 'Roedd hi'n hanner amser yn ystod gêm derfynol y Cwpan Iau. Doedd y prifathro ddim eisiau i mi adael y cae, felly ges i fy lapio mewn tua hanner milltir o rwymau. Rhoddodd o ddwy asprin i mi a'n anfon i 'nôl allan i chwarae!'

'Ac fe enilloch chi, wrth gwrs,' meddai Owain.

'Do, ac roedd hi'n gêm od. Roedd yr hogiau eisio fy nghario ar eu hysgwyddau oddi ar y cae, ond bu'n rhaid i mi redeg i ffwrdd gan fod yr asen yn brifo gymaint.'

Gwingodd Owain wrth i'w asennau yntau wneud dolur.

'Paid â phoeni, was,' meddai ei daid. 'Fasen nhw ddim yn cael gwneud rhywbeth fel 'na y dyddiau yma. Ei di 'nôl pan ti'n barod.'

'Mae'r gêm gynderfynol mewn pum wythnos a dywedodd y meddyg wrtha i am orffwys am chwech. Dwi'n gobeithio bydd gen i ddigon o amser er mwyn i mi fedru dychwelyd ar gyfer y gêm derfynol ddiwedd mis Chwefror.'

'Dwi'n siŵr y gwnei di, Owain,' atebodd. 'Ti'n fachgen mawr cry a gwnaiff tair wythnos o fwyd cartre dy fam wella unrhyw niwed. Edrycha arna i – dwi ddim 'run un ar ei ôl!'

PENNOD DEUNAW

Aeth gwyliau'r Nadolig heibio fel y gwynt a chafodd Owain ddigon o sgyrsiau am rygbi gyda'i daid. Roedd o eisoes wedi clywed llawer o'r storïau gan Mr Mathews a'r athrawon eraill, ond roedd yn dal yn ddiddorol eu clywed o lygad y ffynnon.

Unwaith, ceisiodd Owain ofyn pam y rhoddodd o'r gorau i chwarae rygbi mor sydyn, ond pletiodd Taid ei wefusau ac ysgwyd ei ben.

'Sorri, Owain,' dywedodd yn drist. 'Dwi'n addo y gwna i ddweud wrthat ti, ond mae'r holl beth yn fy nghynhyrfu i'n ofnadwy, a dydi'n iechyd i ddim ar ei orau ar hyn o bryd. Canolbwyntia di ar wella erbyn y gêm gwpan a dwi'n siŵr y cawn ni ddigon o gyfle i siarad eto.'

Wnaeth Owain ddim codi'r pwnc ar ôl hynny a phenderfynodd y byddai'n well gadael i'w daid ddweud yr hanes wrtho pan oedd o'n barod.

Stopiodd ei asennau frifo bob tro y symudai, ond ni fedrai godi dim byd trwm ac allai o ddim gwneud dim byd mwy na cherdded yn ofalus o gwmpas y fferm. Cariodd ei dad ei gesys i'r car y diwrnod cyn i'r tymor ddechrau.

'Pob lwc, Owain!' gwaeddodd ei daid. 'Bydda i'n cadw llygad ar dy sgorio di.'

Gwenodd Owain a churo'i asennau'n ysgafn â'i fysedd. 'Rhowch gyfle i'r rhain wella'n iawn yn gyntaf. Fyddan nhw ddim yn hir rŵan – roeddech chi'n berffaith iawn am goginio Mam!'

Llusgodd y daith ac roedd tagfeydd traffig yr holl ffordd, wrth i'r brifddinas baratoi i groesawu pawb ar ôl cyfnod y gwyliau. Roedd hi wedi tywyllu erbyn iddyn nhw gyrraedd Craig-wen ac roedd Owain wedi blino.

Rhoddodd Mr Mathews help llaw i gario'r cesys i'r neuadd ac yna cymerodd Mr Morgan i'r naill ochr, tra aeth Owain i chwilio am ei ffrindiau.

'Sut mae Dewi, Caradog?' gofynnodd. 'Anfonais i gerdyn Nadolig, ond chlywais i ddim byd yn ôl ganddo. Ydi o'n iawn?'

'Mae o'n iawn, Mr Mathews,' atebodd Mr Morgan, 'ond mi bellhaodd o oddi wrth bawb pan ddigwyddodd y ddamwain, a dydi o ddim wedi trafod y peth o gwbl. Ond dwi'n gweld newid mawr ynddo fo ers i Owain ddechrau yng Nghraig-wen ac mae o wedi dechrau gwylio rygbi unwaith eto. Mae o mewn hwyliau da, ond mae o'n amharod iawn i ddychwelyd at y cyfnodau tywyll yna yn ei orffennol. Bydd yn rhaid i ni roi amser iddo.'

'A! Gall amser wneud gwyrthiau,' meddai Mr Mathews.

'Gall, a dwi'n siŵr y byddai o wrth ei fodd yn eich gweld. Os bydd o'n well, ry'n ni'n bwriadu dod i wylio un o gemau'r Chwe Gwlad. Ac efallai, gyda lwc, gall tîm Owain gyrraedd rownd derfynol yr 13As. Fyddai o byth yn colli'r gêm honno.'

Roedd Owain wedi perswadio Cefin a Ffrancon i gario'i gesys i fyny i Lofft Dewi – am bris pecyn o licorys.

Eisteddai'r tri ar eu gwelyau yn cnoi'r fferins ac yn rhannu straeon am y gwyliau pan gerddodd Alun a Rhodri i mewn.

'Hei, Owain, sut mae'r asen?' chwarddodd Rhodri. 'Ti ddim yn dal i wichian fel mochyn, gobeithio?'

Taflodd Owain esgid, a ddaeth o fewn trwch blewyn i

fwrw cyrls coch Rhodri, ond gwyrodd hwnnw i'w hosgoi.

'Hei, gofalus! Dydyn ni ddim eisio colli seren arall o dîm yr 13As, ydyn ni?' meddai Rhodri. Gwenodd wrth i Alun egluro fod Mr Charles newydd roi rhestr yr 13As ar gyfer yr ail dymor ar yr hysbysfwrdd, ac mai Rhodri oedd y dewis cyntaf fel mewnwr.

'Dwi'n siŵr fod Dafydd Vincent yn teimlo'n salach fyth rŵan,' chwarddodd Owain.

Crwydrodd Owain i wylio'r sesiwn ymarfer gyntaf y diwrnod canlynol a gwaethygodd y boen yn ei asennau wrth iddo sefyll ar ochr y cae.

Daeth Mr Charles draw i holi a oedd o'n gwella wrth i Protheroe ollwng y bêl am y trydedd tro mewn deng munud.

'Hasta 'nôl, Owain. Ry'n ni wirioneddol dy angen di,' dywedodd gan rolio'i lygaid.

'Wna i, syr, dwi'n siŵr bydda i'n iawn cyn hir,' gwenodd Owain.

Ond roedd gwellhad Owain yn cymryd yn hwy na'r disgwyl. Aeth Miss Probert ag ef i'r ysbyty lleol i gael llun Pelydr-X, a daeth yn amlwg fod un o'r asennau yn dal heb asio.

'Mae'n debygol y cymerith bythefnos arall,' eglurodd y meddyg, 'a chei di ddim chwarae rygbi am bythefnos arall ar ôl hynny.'

'Ond mae hynny'n golygu y bydda i'n bendant yn colli'r gêm gynderfynol, a dim ond wythnos fydd ar ôl tan y gêm derfynol wedyn,' cwynodd Owain.

'Mae'n ddrwg gen i, Owain, ond rhaid i'r asennau'n wella'n iawn,' eglurodd y meddyg. 'Mae gwendid mewn asen sydd wedi cracio, a phe baet ti'n ei thorri, gallet ti achosi anafiadau mewnol difrifol. Gei di ddigon o gyfleoedd eraill i chwarae rygbi.'

Roedd Owain yn torri'i galon a theimlai Mr Charles yn waeth byth pan ddywedodd Owain y newyddion wrtho y noson honno.

'O, dyna newyddion ofnadw, Owain. Ti wedi dod 'mlaen shwt gymaint dros y flwyddyn 'ma a ti'n dod â chymaint o ddawn a dychymyg i'r llinell ôl 'na. 'Wy'n gobeithio gallan nhw gael y gorau ar fois Craflyn yn y gêm gynderfynol, ac efallai byddi di'n iawn ar gyfer y Principality wedyn ...'

Dim ond ar yr eiliad honno y sylweddolodd Owain fod y gêm derfynol yn cael ei chwarae yn y Stadiwm Genedlaethol.

'Waw, wyddwn i ddim mai yn y fan honno y byddai'r gêm!' ebychodd.

'Ie. Mae hi'n cael ei chwarae cyn gêm y Cwpan Ewropeaidd rhwng y Gleision a Biarritz, i godi hwyliau'r dorf,' eglurodd Mr Charles.

'Wel, gobeithio na fydda i angen gwyrth i fod yn barod amdani,' dywedodd Owain, gan wenu wrth i Mr Charles fynd yn ôl i'r sesiwn ymarfer.

Roedd y gêm gynderfynol yn erbyn Craflyn yn cael ei chwarae yng Nghraig-wen ac ymgasglodd cannoedd o fechgyn a'u rhieni o gwmpas y cae. Cafodd Owain hawl i ymuno gyda'r eilyddion ar y fainc a sylwodd nad oedd ei asennau'n brifo bellach wrth iddo eistedd.

Roedd Rhodri wedi cadw ei le yn y tîm ond doedd o ddim cweit mor gyfeillgar tuag at Alun ac Owain yn y dosbarth nac yn Llofft Dewi. Daeth Owain i wybod pam yn y stafell newid cyn y gêm.

Eisteddai Rhodri yn y gornel wrth ymyl Richie Davies ac roedd y ddau'n sibrwd ac yn chwerthin gyda'i gilydd wrth iddyn nhw wisgo ar gyfer y frwydr.

Cerddodd Owain draw at ei ffrind a dymuno pob lwc iddo.

Edrychodd Rhodri i fyny wrth iddo glymu ei gareiau, a phan welodd mai Owain oedd yno cododd ei ysgwyddau. 'Dwed ti,' wfftiodd dan ei anadl.

'Sut mae'r ionc gydag asennau rhacs?' crechwenodd Davies. 'Gobeithio cei di well lwc flwyddyn nesa.'

Chwarddodd Rhodri.

Trodd Owain ymaith, gan deimlo'n flin bod Rhodri yn gallu bod mor ddauwynebog a thwp.

Edrychai'r hanerwyr yr un mor agos ar y cae, ac roedd y cyfuniad fel petai'n gweithio'n dda. Parhaodd Davies i geisio cicio yn rhy aml a pharhaodd Mr Charles i'w ddwrdio am wneud hynny.

Ysgol fechan oedd Craflyn ond roedd ei thimau wastad yn rhai cryf; doedd eleni yn ddim gwahanol. Roedd y sgôr yn gyfartal ar hanner amser – 10-10 – ac fel hynny fuodd hi tan wyth munud cyn y diwedd.

Enillodd Craig-wen sgrym yn agos i linell y gwrthwynebwyr a chadwodd Gavin Johnston y bêl wrth ei draed wrth i'r pac wthio ymlaen. Tua phedair troedfedd o'r llinell gais, chwipiodd Rhodri y bêl rhwng fferau Gavin, troelli, a deifio yn isel rhwng coesau mewnwr Craflyn. Lloriwyd y bêl ar y llinell ac roedd Craig-wen ar y blaen.

Ciciodd Davies y trosiad a daeth yr amser i ben cyn i Graflyn fedru sgorio eto. Neidiodd bechgyn Craig-wen ar

Rhodri pan ddaeth y chwiban olaf a'i godi uwch eu pennau. Sgrechiodd y bachgen bach pengoch mewn gorfoledd, a chwerthin wrth i'r disgyblion gyfarch eu harwr newydd.

Pan roddwyd traed Rhodri'n ôl ar y ddaear, roedd Owain yno, gyda'i law allan yn barod i'w longyfarch. Edrychodd Rhodri o'i gwmpas. Gwelodd Davies yn rhythu arno a throdd ei gefn ar Owain.

'Digon teg, Rhodri, os mai fel 'na mae'i deall hi,' mwmialodd Owain, 'ond paid â rhedeg ata i pan fydd Richie a'i gang wedi cael digon arnat ti.'

PENNOD PEDWAR AR BYMTHEG

Gwnaeth penderfyniad Rhodri i ymuno â gang Davies fywyd yn eithaf annifyr yn Llofft Dewi. Roedd pedair wythnos tan y gêm derfynol ac roedd Mr Charles wedi mynnu bod yr 13As yn ymarfer bob noson ar ôl yr ysgol. Gofynnodd i Owain ymuno yn y sgyrsiau tactegol ond roedd hi'n anodd canolbwyntio wedi diwrnod yn y dosbarth, yn enwedig a'i ffrind gorau yn y tîm wedi troi ei gefn arno.

'Shwt mae'r anaf?' holodd Mr Charles wrth iddyn nhw gerdded yn ôl i'r ysgol wedi un sesiwn ymarfer.

'Llawer gwell, syr. Does 'na ddim poen, hyd yn oed pan dwi'n chwerthin,' atebodd Owain.

'Does dim perygl i ti chwerthin yn un o'r sesiynau 'ma, oes 'na? 'Wy erioed wedi dy weld di'n edrych mor ddiflas. Ydi popeth yn olreit?'

'Ydi, syr, mae popeth yn iawn,' meddai Owain yn gelwyddog.

Ceisiodd Rhodri fod yn gyfeillgar yn ôl yn y llofft, ond roedd Owain ac Alun wedi cael llond bol arno'n bod mor ddauwynebog.

'Yli, Rhodri, mae fy anwybyddu i, jest am fod Davies yn gwylio, yn wirion bost,' meddai Owain. 'Nid yn y dosbarth meithrin ydan ni rŵan.'

'Ti'n gwybod gymaint o snichyn ydi Davies, a ti wedi dewis bod yn union 'run fath â fo,' meddai Alun. 'Caria di 'mlaen ond paid â disgwyl i ni fod yn ffrindiau efo ti pan ddoi di'n ôl i Lofft Dewi.'

Edrychodd Rhodri i gyfeiriad Aneurin a Ffrancon, gan obeithio cael eu cefnogaeth, ond roedd wynebau'r ddau yr un mor ddifrifol â'r gweddill.

Cododd Rhodri ei ysgwyddau'n ddi-hid a gorwedd ar ei wely gan wrando ar ei iPod.

Cafodd Owain neges i fynd i weld Miss Probert yn stafell yr athrawon, ddeng niwrnod cyn y gêm fawr.

'Mae Mr Charles wedi gofyn i mi drefnu i ti gael Pelydr-X heddiw,' meddai. 'Af i â ti i'r ysbyty ond alla i ddim aros, mae arna i ofn. Wyt ti'n fodlon dal y bws yn ôl i'r ysgol?'

'Ydw, wrth gwrs,' meddai Owain. 'Pryd ry'n ni'n cychwyn?'

'Rŵan hyn,' dywedodd hithau. 'Oes ots gen ti golli dwy wers Fathemateg?'

Gwenodd Owain a dilyn yr athrawes i gyfeiriad ei Mini bach coch.

Aeth Miss Probert â fo i'r adran uwchsain ac wedi iddo roi ei enw i'r staff, gofynnodd a wyddai o'r ffordd i'r safle bysiau ac yn ôl i'r ysgol.

Llusgodd y bore a threuliodd Owain y rhan fwyaf o'i amser yn syllu ar bosteri am bwysigrwydd ymarfer corff a bwyta'n iach. Sylweddolodd y dylai fod wedi dod â llyfr efo fo, hyd yn oed un Mathemateg.

Cymerodd y Pelydr X ychydig funudau ac yna roedd yn rhaid iddo ddychwelyd i'r coridor i aros am y canlyniad. Ar ôl awr, daeth meddyg tal ato a chyflwyno ei hun fel Dr Shukla.

'Reit, Owain, mae'n edrych fel dy fod di wedi gwella'n llwyr,' meddai, gan ddal dwy set o luniau Pelydr X yn erbyn bocs golau oedd ar y wal. 'Unrhyw boen?'

'Nag oes,' atebodd Owain. 'Ydi hi'n iawn i mi ailddechrau chwarae rygbi?'

Gwgodd y meddyg. 'Wel ... ella nad ydi hynny'n syniad da. Wyt ti wedi bod yn ymarfer rhywfaint?'

'Wel, naddo ...' meddai Owain.

'Hmmm, fydd dy gyhyrau di ddim ar eu gorau, ti'n gweld, a fyddi di ddim mor ffit ar ôl saith neu wyth wythnos heb ymarfer. Baswn i'n dy gynghori di i ddechrau loncian ychydig am wythnos neu ddwy, cyn i ti ailddechrau ymarfer. Beth yw'r brys?'

Dywedodd Owain wrtho am y gêm gwpan ar Barc yr Arfau ymhen deng niwrnod.

Cymylodd wyneb Dr Shukla. 'O, mae hynna'n gynnar iawn, iawn ar gyfer anaf fel hwn. Dwi'n credu y byddai hi'n gamgymeriad i ti drio ailafael ynddi mor sydyn.'

Cododd Owain ei ysgwyddau a rhoi ochenaid fawr. 'Iawn, Dr Shukla, diolch yn fawr i chi yr un fath.'

'Alli di wastad edrych ymlaen at y tymor criced!' meddai'r meddyg yn ysgafn.

'Does gan neb ddiddordeb mewn criced yn Nolgellau,' atebodd Owain.

Croesodd Owain y ffordd a cherdded i lawr y lôn ddeiliog tuag at y safle bysiau. Roedd meddwl am golli'r gêm fawr yn artaith ac roedd yn torri'i fol eisiau i'w daid ddod i'w wylio'n chwarae.

Neidiodd ar y bws nesaf a syllu'n ddigalon trwy'r ffenest, cyn sylweddoli'n sydyn ei fod wedi cyrraedd Stryd Westgate.

'O na,' meddai. 'Mae'r bws yma wedi mynd â fi i ganol y ddinas!'

Llamodd o'r cerbyd wrth i fws arall – oedd yn mynd i gyfeiriad yr ysgol – adael yr arhosfan. Edrychodd Owain ar yr amserlen a gweld nad oedd yna fws arall i Graig-wen am awr, bron. Roedd eisoes yn teimlo'n rhwystredig ar ôl bod yn yr ysbyty, felly penderfynodd ladd amser a dilyn cyngor Dr Shukla, gan ddechrau loncian i lawr y stryd.

Wrth iddo wneud hynny, gwelodd fod giât ar agor yn waliau stadiwm Parc yr Arfau ac yn ei chwilfrydedd, aeth drwyddi. Daeth allan y tu ôl i Eisteddle'r Gorllewin, i ganol criwiau o weithwyr yn gwau trwy'i gilydd a phawb yn rhy brysur i sylwi arno fo.

"Sgwn i a ydi Dic yma?' meddyliodd Owain yn uchel wrth iddo grwydro drwy'r twnnel tua'r arena.

'Odw, fe odw i,' meddai Dic, gan gamu o'r tu ôl i biler.

'Waw, roedd hynna'n glyfar. Chlywais i mohonot ti'n dod.'

'Pam wyt ti 'ma ar fore yng nghanol yr wythnos?' holodd Dic. 'Ydyn nhw wedi dy hel di o'r ysgol?'

'Dim gobaith caneri!' meddai Owain. 'Na, wnes i ddal y bws anghywir a dod oddi arno yn yr arhosfan yma er mwyn dal bws yn ôl i'r ysgol. Ond does yna ddim bws am oes pys, felly penderfynais ddod yma i fusnesu.'

'Mae hi'n dawel heddi,' meddai Dic, 'ond mae 'na gwpwl o gemau mawr ar fin cael eu cynnal 'ma.'

'Dwi'n gwybod hynny,' torrodd Owain ar ei draws, 'ac ella bydda i'n chwarae mewn gêm ar ddiwrnod y Cwpan Ewropeaidd – gêm gwpan yr 13As.'

'Jiw jiw,' meddai Dic, 'mae hynna'n wych. Ond beth yw'r "ella" 'ma?'

'Dwi newydd ddod o'r ysbyty. Mi wnes i gracio cwpwl o asennau wrth chwarae yn erbyn Glan Efa,' eglurodd.

'O, y criw anysywallt 'na! Ma nhw'n fois caled, bois Glan

Efa,' gwenodd Dic. 'Wyt ti erioed wedi trio llysiau'r cwlwm? Dyna ti beth roedden ni'n arfer ei ddefnyddio i drin anafiade a chracie. Stwff cryf ofnadw. Stwnsha fe gyda dŵr i wneud powltis. Rho gynnig arno.'

Crwydrodd y ddau allan o dwnnel tywyll y chwaraewyr i heulwen lachar y stadiwm. Eisteddodd y ddau yn yr eisteddle; Owain yn y rhes o flaen Dic. Sylwodd pa mor hurt o welw oedd coesau Dic a pha mor hen ffasiwn oedd ei esgidiau rygbi.

'Ble cest ti'r rheina?' gofynnodd Owain, gan bwyntio at yr hen bethau.

'Siop Elfrys, yn Stryd Nedd,' meddai Dic. 'Wnaethon nhw gostio dou swllt ar hugain.'

'Beth yw swllt?' holodd Owain yn ddryslyd.

'Rhywbeth tebyg i bum ceiniog,' meddai Dic. 'Rwy'n anghofio taw punnoedd yw popeth dyddie 'ma, ontefe?'

'Pryd yn union wnest ti brynu'r sgidiau 'na,' gofynnodd Owain, gan ddechrau mynd i deimlo ychydig bach yn bryderus, er nad oedd o'n siŵr pam.

'Brynes i nhw yn y sêls – Dydd Calan 1880 oedd hi, rwy'n credu. Wnaeth fy mrodyr roi arian i mi ar gyfer y Nadolig ...'

'1880?' gofynnodd Owain. 'Beth wyt ti'n feddwl?'

'Roedd hi'n ychydig fisoedd cyn y ddamwain ... Ie, Mawrth 1880,' cadarnhaodd Dic.

Gwreiddiwyd Owain i'w sedd. 'O-o-ond mae hynna'n gant tri deg chwech o flynyddoedd yn ôl ... pa mor *hen* wyt ti?'

'Rwy'n saith ar hugain, wrth gwrs – dyna fy oedran pan fues i farw.'

PENNOD UGAIN

Lledodd llygaid Owain. 'Ti wedi *marw*? Ysbryd wyt ti?'

'Ie, mae'n siŵr taw dyna beth odw i,' dywedodd Dic. 'Ond 'dwy 'rioed wedi meddwl am y peth. Rwy jest wedi bod yn crwydro o gwmpas fan hyn ers iddo ddigwydd ...'

'Ers i *beth* ddigwydd?' gofynnodd Owain, ei figyrnau wedi troi'n wyn wrth iddo gydio'n dynn yn ei sedd blastig.

'Dylwn i fod wedi dweud hyn wrthot ti cyn nawr,' meddai Dic gan nodio. 'Ond do'n i ddim eisiau codi ofn arnat ti. Gad i ni fynd lan i gefn yr eisteddle. Mae golygfa wych o'r stadiwm gyfan o fan 'ny.'

Chwyrlïai meddwl Owain. Roedd rhan ohono eisiau rhedeg i ffwrdd gan sgrechian, ond roedd rhan ohono'n chwilfrydig iawn.

Eisteddodd Dic yng nghefn yr eisteddle a phwyntio tuag at yr ystlys.

'Fan 'co oedd e,' meddai, 'tua phum llath i mewn. Ddes i 'ma wedi i mi adael yr ysgol. Fy hen ffrind Ned ddaeth â fi draw. Gawson ni hwyl yn chwarae yn yr ail dîm a fe enillon ni Gwpan yr Ysgolion y flwyddyn cynt. Ond roedd gan Barc yr Arfau dîm ardderchog ac olwyr gwell nag unrhyw dîm yn y byd ... cewri,' meddai. 'Roedden ni'n chwarae yn erbyn Pen-y-bont. Roedd hi'n gêm fawr, fy ngêm gwpan gyntaf i'r tîm cyntaf.'

Er bod gan Owain gymaint o gwestiynau, ddywedodd o ddim gair.

'Roedd hi'n ddiwrnod oer a'r ddaear yn galed. Chwaraeon ni'n dda iawn am y deng munud cyntaf. Ond wedyn ...'

Syllodd Dic i fyw llygaid Owain cyn plygu ei ben.

'Roedd 'na sgrym. Nawr yn y dyddie 'na roedd sgrym yn lle caled ac roedd yn rhaid i ti ddangos taw ti oedd y meistr. Doedd dim o'r dwli "plygwch ... cydiwch ... setiwch..." 'ma. Bydde'r paciau jest yn rhedeg tuag at ei gilydd, fel geifr yn twlcio.'

Syllodd Owain ar Dic, gan ei chael hi'n anodd dychmygu'r olygfa.

'Wel, y broblem gyda hynna yw fod yn rhaid i ti wrthdaro'n berffaith, er mwyn i'ch pennau gyd-gloi i ffurfio'r sgrym. Wnaethon ni ddim cloi'n iawn y diwrnod 'na a llithrodd un o'r chwaraewyr. Wnaeth y sgrym ddymchwel o ganlyniad, a sut bynnag ddigwyddodd e, ges i fy nala ...'

'A chael dy ladd?' gofynnodd Owain yn dyner.

'Na, ddim yn gwmws,' eglurodd Dic. 'Pan gododd pawb, ro'n i'n dal ar y llawr, yn methu symud. Dywedais i wrth y dyfarnwr nad oedd gen i nerth yn fy nghorff. Anfonwyd am y stretsier a ges i 'nghario dros yr ystlys. Roedd 'na lawer o ffws a bu'n rhaid mynd â fi i'r inffyrmari lleol. Dywedodd y meddyg wrtha i 'mod i wedi cael fy anafu'n ddrwg ac y byddai'r nyrsys yn fy ngwneud i'n gyffordus. A bod yn onest, do'n i ddim mewn poen a do'n i ddim wedi deall yn iawn pa mor ddrwg oedd pethau, oherwydd y sioc. Roedd fy mam a 'nhad eisoes wedi marw a'r unig deulu oedd gen i'n weddill oedd fy mrodyr, Curon ac Edwyn. Roedd Curon yn chwarae i dîm Cymru bryd hynny ac roedd yn chwaraewr campus. Gofynnais i'r nyrsys a fydden nhw'n cysylltu gyda'r bois a ches i wybod eu bod nhw eisoes ar eu ffordd. Roedd un yn byw ym Mhontypridd a'r llall yn Abercraf ond ro'n i wir eisiau eu gweld nhw.

'Daeth rhywfaint o'r tîm i 'ngweld i ar ôl y gêm ac ro'n i'n falch o glywed ein bod ni wedi ennill 13-0. Buon ni'n siarad am y sgrym ond ro'n i'n bendant nad oedd neb ar fai a'i fod e jest yn un o'r pethe 'na sy'n medru digwydd.

'Cyrhaeddodd Edwyn a Curon fin nos ond ro'n i'n flinedig ofnadw erbyn hynny a do'n i ddim wir moyn siarad. Eisteddon nhw ar bwys y gwely drwy'r nos ond erbyn y bore, do'n i ddim yn gallu agor fy llygaid a ... dyna hi.

'Mae e'n beth od – marw. Un funud ro'n i'n gorwedd yn fy ngwely, a'r funud nesa, ro'n i'n arnofio yn yr awyr yn edrych i lawr ar bawb. Roedd y bois yn drist ofnadw – fi oedd eu brawd bach nhw – ond do'n i ddim wir yn deall beth oedd yn mynd ymlaen.'

Syllodd Owain ar ei draed, ddim yn siŵr iawn beth ddylai o ei ddweud.

'Ro'n i'n flin am sbel pan sylweddolais i na fydden i'n cael chwarae rygbi byth eto na gweld fy ffrindiau. Wylies i'r angladd ac arhosais yn y fynwent am sbel ar ôl hynny. Ond y bore wedyn, ddihunes i fan hyn ac rwy wedi bod 'ma byth oddi ar hynny.'

'A be wyt ti wedi bod yn ei wneud am y cant a thri deg chwe mlynedd diwethaf?' gofynnodd Owain.

'Wel, rwy wedi cael sedd yn y rhes flaen ar gyfer pob gêm sy wedi cael ei chwarae'n fan hyn ers i mi farw. Rwy hyd yn oed wedi rhedeg i ganol y cae cwpwl o weithie, yn ystod y gemau mwyaf cyffrous. Weles i chwaraewyr ffantastig yma dros y blynyddoedd, ti'n gwybod.'

'A wnest ti erioed siarad efo unrhyw un?' gofynnodd y bachgen.

'Wel, dyna'r peth rhyfeddaf,' atebodd Dic. 'Wnaeth neb erioed fy ngweld i cyn i ti gerdded i mewn i'r stafell cymorth cynta ychydig fisoedd yn ôl. Ges i dipyn o sioc, a dweud y gwir. Rwy wirioneddol wedi mwynhau ein sgyrsie ni. Maen nhw wedi rhoi ail wynt i mi,' gwenodd. 'Wna i roi help llaw i ti os byddi di'n chwarae yn y gêm gwpan 'na hefyd,' meddai. 'Falle galla i faglu'r gwrthwynebwyr neu daflu pêl arall i mewn i'r sgrym i'w drysu nhw'n llwyr!'

'Ella basa hynny'n drysu ein hogiau ni hefyd,' chwarddodd Owain. Oedodd, ddim yn siŵr beth i'w ddweud nesaf. 'Ga i ofyn,' meddai'n betrus, 'a welaist ti erioed chwaraewr o'r enw Dewi Morgan yn chwarae i Graig-wen?'

Lledodd llygaid llwyd Dic. 'Do, ac roedd e'n chwaraewr penigamp hefyd. Pam ti'n holi?'

'Fo ydi 'nhaid i,' eglurodd Owain.

'A, wrth gwrs, bachan o Ddolgellau oedd e. Dyle 'mod i wedi rhoi dau a dau at ei gilydd. Weles i e'n chwarae mewn nifer o gemau ysgol mawr yn y 1950au a weles i erioed faswr gwell na fe, am ei oedran. Roedd e'n wych. Yna, un diwrnod, es i mas i wylio hen dîm Craig-wen yn chwarae a doedd e ddim 'na. Weles i e byth ar ôl hynny. Rwy wedi meddwl llawer am beth ddigwyddodd iddo fe ...'

'A finnau hefyd,' meddai Owain. 'A dwi'n mynd i ddarganfod y gwir.'

PENNOD UN AR HUGAIN

Roedd meddwl Owain yn dal i chwyrlïo pan ddychwelodd i'r ysgol, jest mewn pryd i glywed cloch diwedd y dydd yn canu.

'Ble wyt ti wedi bod?' holodd Alun. 'Roedd hwnna'n goblyn o apwyntiad ysbyty hir.'

'Paid â sôn,' meddai Owain. 'Bues i yn y 'sbyty 'na am oriau a ro'n i bron â mynd yn wirion.'

'Gwirion yw'r gair,' cilwenodd Richie Davies wrth iddo wthio heibio i'r ddau ffrind. 'Y bachan ffaelodd fynd i'r gêm gwpan oherwydd asen wedi cracio. *Twp-syn*.'

Ffrwynodd Owain ei dymer ond methodd ddal ei dafod. 'Ti'n gwybod nad oes gennych chi obaith hebdda i, Davies. Gallai dy chwaer dorri drwy amddiffyn Sant Oswyn yn well na ti. Wedyn mae'n well i ti weddïo y bydda i'n well.'

Rhythodd Davies arno, ond doedd ganddo ddim ateb parod. Agorodd a chau ei geg fel pysgodyn aur.

Cyrhaeddodd Mr Mathews ar yr eiliad honno a rhoi edrychiad digri i Owain. 'Ydi bob dim yn iawn, fechgyn?'

'Ydi syr,' meddai Owain a Richie gyda'i gilydd.

'Dos yn dy flaen felly, Mr Davies. Mae'n siŵr fod angen i ti fynd i ymarfer,' dywedodd, gan ei anfon tua'r caeau chwarae.

Trodd Mr Mathews at Owain wedi i Davies adael. 'Bydd yn ofalus o'r bachgen yna, Owain. Mae o'n dueddol o ddefnyddio'i ddyrnau i guddio'i wendidau.'

'Dwi'n gwybod – diolch, syr,' atebodd Owain.

'Sut mae Dewi? Dwi wedi sgwennu ato ond dydw i ddim wedi cael ateb.'

'Mae o ychydig yn well, dwi'n meddwl. Dywedodd y byddai o'n dod i'r gêm gwpan pe bawn i yn y tîm ...'

'A pha mor debygol ydi hynny?'

'Wel, yn ôl y meddyg, ddylwn i ddim fod yn chwarae...' ochneidiodd. Yna meddyliodd am rywbeth. 'Beth yw llysiau'r cwlwm, syr, a ble alla i gael rhai?'

'Iesgob, dyna enw dwi heb ei glywed ers achau,' meddai Mr Mathews. 'Ble ar wyneb y ddaear y clywaist ti amdanyn nhw?'

'A ... ym ... wnaeth 'na ... hen *ŵr* ddweud wrtha i y bydden nhw'n helpu i wella fy asennau i,' atebodd.

'Wel, roedden ni'n eu rhoi ar anafiadau drwy'r amser pan o'n i'n ifanc,' meddai'r athro. 'Maen nhw'n tyfu mewn ffosydd ac ar hyd glannau'r camlesi. Bosib bod 'na rywfaint wrth ymyl y gamlas sydd yng nghefn yr ysgol. Camlas Morgannwg ydi hi ac roedd hi'n cael ei defnyddio i gludo haearn a glo o Ferthyr i ddociau Caerdydd ers talwm. Gwranda, af yno am dro heno, ac os dof i o hyd i beth, wna i adael i ti wybod. Mae'n werth rhoi cynnig arno – mae'n swnio'n fel mai dyna dy unig obaith di.'

'Diolch, Mr Mathews,' atebodd Owain, yn teimlo'n well yn sydyn.

Oriau yn ddiweddarach, gorweddai ar ei wely yn ceisio darllen ei gylchgrawn, ond roedd ei feddwl yn crwydro yn ôl at Dic a'i stori ryfeddol a thrist. Roedd o wastad wedi credu mewn ysbrydion ac roedd gan ei daid stôr o straeon am dylwyth teg oedd yn byw yn y coedwigoedd ger Dolgellau, ac fel y bydden nhw'n dod ar eu traws weithiau wrth fynd am dro. Ond roedd cyfarfod a siarad gydag ysbryd yn deimlad od, hyd yn oed un mor gyfeillgar â Dic.

Daeth cnoc ar y drws.

'Dewch i mewn,' gwaeddodd Alun, cyn ymddiheuro am weiddi mor uchel pan ddaeth Mr Mathews drwy'r drws.

'Tyrd efo fi, Owain,' dywedodd.

Llamodd Owain oddi ar ei wely, yn teimlo'n ddryslyd o weld yr athro yn ymddwyn mor od.

Caeodd Mr Mathews y drws yn ofalus ar eu holau. 'Mae'n ddrwg gen i, Owain, ond dwi newydd gael galwad ffôn gan dy dad. Mae dy daid wedi'i daro'n sâl a fydd o ddim yn gallu dod i'r gêm wythnos nesa. A dweud y gwir, mae o'n bur wael. Gofynnodd dy dad gâi o ddod i dy nôl di fory, ond dwi ddim eisiau iddo yrru'r holl ffordd yma. Wna i dy yrru di adre yn y bore. Baswn i'n hoffi gweld Dewi eto.'

Llyncodd Owain yn galed a cheisio atal ei ddagrau.

'Diolch, syr. Wela i chi ar ôl brecwast.'

Ceisiodd ei orau i gysgu y noson honno ond roedd hi'n amhosibl. Bob tro y caeai ei lygaid, gwelai ei daid yn gorwedd yn ei wely yn yr ysbyty. Roedd eu sgyrsiau diweddar yn mynd rownd a rownd yn ei ben ac roedd o bron â thorri'i fol eisiau trafod rygbi gyda'r enwog Dewi Morgan.

Safai Mr Mathews yn aros amdano ar waelod y grisiau y bore wedyn.

'Ro'n i'n meddwl basen ni'n cychwyn yn gynnar, Owain. Gawn ni frecwast ar y ffordd.'

Roedd Owain yn falch na fyddai'n rhaid iddo wynebu gweddill y disgyblion, yn enwedig gan fod Davies am ei waed.

Ar y daith i'r gogledd, bu'r ddau'n sgwrsio am rygbi ac am fyw yng Nghaerdydd. Wnaeth Mr Mathews ddim sôn gair am fusnes yr ysgol na hanes cefndir dirgel taid Owain. Roedd yn yrrwr gofalus a chan eu bod wedi stopio am frecwast, cymerodd y siwrne i Ddolgellau dros dair awr a hanner.

Roedd Dewi yn cael gofal mewn ysbyty bychan lleol a rhoddodd Owain gyfarwyddyd i Mr Mathews i yrru trwy'r giatiau fel roedd ei dad yn dod allan o'r brif fynedfa.

'Mae o'n cysgu rŵan, diolch byth,' meddai Mr Morgan, 'ond mae o wedi cael noson wael. Roedd yn cadw gofyn pryd byddet ti'n cyrraedd.' Trodd at yr athro. 'Diolch o galon i chi am ddod ag Owain adref, Mr Mathews. Dywedais i wrth Dad eich bod chi'n gyrru yma bore 'ma a dywedodd y byddai o'n hoffi eich gweld chi hefyd. Cododd hynny ei galon. Dewch adref i gael paned o de efo ni. Allwn ni ddod yn ôl yma mewn awr.'

Gyrrodd y tri yn ôl i dŷ'r Morganiaid a chofleidiodd mam Owain ei mab yn y drws.

'Fy ngwas bach i ...' meddai cyn cofio am ei asennau poenus a llamu yn ei hôl. '... o, gobeithio na wnes i bethau'n waeth!'

Gwenodd Owain. 'Naddo, Mam. Dwi bron yn iawn. Bues i yn yr ysbyty ddoe a dywedodd y meddyg wrtha i am ddisgwyl rhwng dwy a phedair wythnos arall cyn chwarae eto. Mae'r gêm gwpan mewn naw diwrnod felly fydda i angen gwyrth ...'

'O, be haru mi? Bu bron i mi anghofio,' meddai Mr Mathews, gan gymryd bag plastig o'i boced. 'Ddes i o hyd i glwstwr mawr o lysiau'r cwlwm wrth y gamlas neithiwr. Dydi o ddim wedi blodeuo eto, ond y dail sy'n dda i ti.'

'Roedd fy mam yn canmol llysiau'r cwlwm i'r cymylau,' meddai Mrs Morgan. 'Dwi'n meddwl eich bod chi'n ei falu o'n fân a gweud powltis efo fo, tydach?'

Tra oedd Mr Mathews yn helpu gyda'r rysáit perlysiau yn y gegin, aeth Mr Morgan a'i fab allan.

'Dydi Dewi ddim wedi bod yn siarad am ddim byd arall heblaw'r gêm 'ma ers wythnosau. Do'n i ddim yn gallu wynebu dweud wrtho efallai na fyddet ti'n cael chwarae oherwydd dy anaf. Mae o wedi sôn wrtha i ei fod o eisiau dweud popeth wrthot ti hefyd. Neithiwr, pan oedd o'n wael iawn, ddywedodd o wrtha i am egluro'r cwbl wrthot ti, os na ddaw o drwyddi. Ond gobeithio i'r nefoedd y bydd o'n well cyn bo hir, fel y gall o ddweud yr hanes i gyd wrthot ti. Ond paid â rhoi pwysau arno i wneud hynny yn yr ysbyty. Mae o'n dal yn wan iawn.'

'O, Dad, faswn i byth yn gwneud hynny,' meddai Owain. 'Os ydi o eisio dweud wrtha i, mi wnaiff o wneud pan mae o'n barod. Ro'n i wastad yn gwybod hynny.'

Pan ddychwelodd Owain a'i dad i'r tŷ, pwyntiodd Mrs Morgan at lwmpyn o stwnsh gwyrdd ar soser. 'Dyna ti Owain – cinio.'

Trodd wyneb Owain yr un mor wyrdd â'r stwnsh, ond pan welodd o Mr Mathews a'i rieni'n gwenu, sylweddolodd mai tynnu coes roedden nhw.

'Jôc, y twmffat,' chwarddodd ei fam. 'Powltis ydi o. Wna i ei lapio fo mewn darn o liain a'i rwymo fo am dy asennau di.'

'Wnaiff o ddim diferu dros fy nghrys, na wnaiff?' cwynodd Owain wrth i'w fam ddechrau ei drin.

'Fyddi di'n iawn. A hyd yn oed os gwnaiff o, pa wahaniaeth? Ti'n dal i fod yn Gymro o waed coch cyfan, hyd yn oed os yw dy grys yn wyrdd!'

PENNOD
DAU AR HUGAIN

Tynnodd y teulu i mewn i faes parcio'r ysbyty toc cyn un o'r gloch, a Mr Mathews wrth eu cwt. Roedd yr haul newydd ymddangos o dan gwmwl llwyd a gorfododd Owain ei hun i wenu; ni allai edrych yn bryderus neu'n ofidus o flaen ei daid.

Wrth i Owain a'i dad fynd i mewn i'r ward, gallent weld pibau a gwifrau yn amgylchynu gwely'r hen ŵr. Edrychai Dewi fel petai'n cysgu ond dechreuodd agor ei lygaid yn araf, fel petai'n synhwyro fod ei unig fab – a'i ŵyr – wedi cyrraedd.

'A, Owain, dyna hyfryd dy fod ti wedi dod. A gwnaeth Arfon Mathews dy yrru di yr holl ffordd yma? Tydi o'n ffrind arbennig?'

'Mae Mr Mathews y tu allan, Dad,' meddai Caradog wrtho. 'Roedd o am i mi ddod i mewn yn gyntaf. Mae o bron â marw eisiau eich gweld chi.'

'Bron â marw? Na'di, gobeithio,' chwarddodd yr hen ŵr. 'Mae 'na ddigon ohonon ni'n marw o gwmpas y lle 'ma.'

'Rŵan, Dad, dyna ddigon o'r math yna o siarad,' dywedodd Caradog. 'Mae'r meddyg wedi dweud fod gennych chi ugain mlynedd arall – welwch chi bedwar Cwpan Byd. Ella cewch chi fyw i weld Camp Lawn arall hefyd.'

'Camp Lawn?' rhochiodd yr hen ŵr. 'Dim gobaith caneri. Fyddi *di*'n lwcus i weld un arall o'r rheini,' meddai wrth Owain.

'Dwi'n falch o weld eich bod chi'n teimlo fwy fel chi eich hun, Taid!' chwarddodd Owain. 'Does dim byd o'i le ar eich hwyliau chi, beth bynnag!'

'Ti'n iawn, 'ngwas i. Dwi'n teimlo'n llawer gwell ar ôl cysgu. Stedda di wrth y gwely yn y fan yna a gawn ni sgwrs.'

'Arhoswch eiliad, Dad, ydych chi'n siŵr eich bod chi'n ddigon cryf?' torrodd Caradog ar ei draws.

'Ydw, felly dos di i nôl paned o de i ti ac Arfon a gad lonydd i mi a'r hogyn. Mae gen i dipyn o waith trafod i'w wneud efo fo.'

Syllodd Dewi ac Owain Morgan i fyw llygaid ei gilydd. Gwelodd yr hen ŵr fachgen ifanc penderfynol a chlyfar, oedd yn awyddus i ddysgu. Gwelodd y bachgen dristwch, ond y tu hwnt i hynny, gwelodd fflam oedd yn brwydro'n galed i aros ynghyn, a fflam a chanddi fwy o olau i'w daflu.

'Ro'n i'n casáu rygbi,' meddai Dewi'n dawel, 'ei gasáu o gyda chasineb dieflig, pwerus, brwnt. A dwi'n gwybod rŵan pa mor wirion oedd hynny, achos nid rygbi aeth â hi oddi arna i ...'

Eisteddodd Owain yn fud wrth y gwely, a'i lygaid yn mynnu crwydro at sgriniau'r peiriannau oedd o amgylch y gwely.

'Gaeaf un naw chwech wyth oedd hi. Ro'n ni'n byw yng Nghaerdydd ar y pryd. Ro'n i yn gweithio yn y banc ac yn chwarae rygbi yn yr hen Graig-wen. Roedd Caradog – dy dad – wedi cael ei eni yn yr haf, ond roedd hi wedi bod yn hydref gwlyb a phrin oedden ni wedi cael cyfle i ni fynd â fo allan o'r tŷ am awyr iach. Roedd y rygbi'n mynd yn dda, yn dda iawn, a dweud y gwir ... ac ro'n i'n ddigon ffodus i gael fy newis i'r treial olaf ar gyfer tîm Cymru ar Barc yr Arfau. Roedd y dydd Sadwrn cynt wedi bod yn ddiwrnod anarferol o braf ac roedd gynnon ni gêm gartre, yn erbyn y brifysgol. Roedd hi'n ddiwrnod gwirioneddol braf ...'

Oedodd yr hen ŵr a rhwbio'i lygaid.

'Roedd dau o ddetholwyr tîm Cymru wedi dod yno i wylio ac roedd yr hogiau'n cadw tynnu arna i am y ffaith 'mod i'n mynd i gael crys coch newydd ac y byddai'n well i Iola wneud yn siŵr na fyddai hi'n ei olchi gyda'r clytiau. Tynnu coes diniwed oedd o, am wn i ... Beth bynnag, roedd y gêm yn mynd yn dda ac roedden ni ar y blaen. Ond cododd gwynt cryf wrth i'r ail hanner ddechrau a gwnaeth hynny lanast o'r cicio.

'Wnes i sylwi ar hanner amser fod dy nain, Iola, wedi cyrraedd a wnaeth hi godi llaw arna i. Roedd Caradog yn y goets, hen beth mawr du. Ymgasglodd tipyn o'r gwragedd a'r cariadon eraill o'i chwmpas i wneud ffws o'r babi.

'Ro'n i'n canolbwyntio ar y gêm, i fyny ym mhen pella'r cae, pan glywais i'r crac erchyll yma. Sŵn fel bom yn ffrwydro. Stopiodd y gêm a throdd pawb a gweld bod cangen enfawr un o'r coed helyg oedd wrth ymyl y cae wedi torri yn y gwynt.

'Simsanodd am ychydig eiliadau, cyn iddi ddechrau disgyn. Wrth iddi ddisgyn, gwelais fod Iola yn sefyll yn union o dan y goeden, yn siarad efo dynes arall. Wrth i'r gangen syrthio'n glatsh drwy'r canghennau eraill, sylwais ei bod hi wedi gweld y perygl ac wedi gwthio'r goets o'r ffordd. Dim ond eiliad neu ddwy oedd ganddi ond roedd hi'n amlwg ei bod hi wedi penderfynu bod yn rhaid iddi achub Caradog bach ...'

Oedodd Dewi, gan edrych drwy'r ffenest am eiliad, cyn parhau â'i stori.

'Disgynnodd y gangen ar ei phen. Rhedais i'r chwe deg llath yna'n gynt na wnaeth neb erioed, ond doedd hi ddim yn anadlu pan gyrhaeddes i. Lladdwyd hi yn y fan a'r lle.

'Galwodd rhywun am ambiwlans ond roedd Iola eisoes wedi mynd. Daliais i hi yn fy mreichiau am ychydig funudau, ond yna clywais i Caradog yn crio ac ro'n i'n gwybod bod yn rhaid i mi fynd ato. Diwrnod erchyll iawn, erchyll ...'

Rhoddodd Owain ei law dros law denau ei daid. Teimlai'n ofnadwy fod yr hen ŵr wedi gorfod llusgo atgofion mor boenus i'r wyneb – er ei fwyn o. Teimlai'n flin hefyd am nad oedd o erioed wedi meddwl pam mai dim ond un nain oedd ganddo.

Syllodd ei daid i fyw ei lygaid unwaith eto. 'Dyna'r tro olaf i mi wisgo cit rygbi neu gicio pêl,' meddai. 'Ro'n i'n beio fy hun i ddechrau, achos fyddai Iola byth wedi bod ar gyfyl y cae pe bawn i ddim yn chwarae. Wnaeth pobl fy narbwyllo i fod hynny ddim yn wir, ond ro'n i'n casáu meddwl ei bod hi wedi colli'i bywyd, a'n bod ni wedi colli ein breuddwydion am y dyfodol, dros rywbeth mor wirion â gêm o rygbi.'

Ochneidiodd Dewi ac edrych drwy'r ffenest.

'Wnes i hyd yn oed gael pobl o Undeb Rygbi Cymru yn dod i 'ngweld – i drio newid fy meddwl i. Roedden nhw'n meddwl baswn i'n gapten ar dîm Cymru ryw ddiwrnod.'

'Wnes i losgi fy nghit rygbi, fy sgidiau rygbi, hyd yn oed lluniau'r tîm ysgol – a dwi'n dyfaru fy enaid am hynny. A wnes i wrthod gadael i Caradog chwarae'r gêm – alli di ddychmygu hynny?' gofynnodd.

'Wel, dwi ddim yn meddwl byddai o wedi bod yn chwaraewr da p'run bynnag,' gwenodd Owain.

'Ti'n iawn,' cytunodd Dewi, 'ond ro'n i'n hunanol yn ei rwystro rhag chwarae gêm oedd wedi rhoi cymaint o bleser i mi. Ond mi gymerodd y gêm bopeth oddi arna i hefyd, do.'

'Dwi ddim yn meddwl bod gwahaniaeth gan Dad,' meddai Owain. 'Mae o'n dechrau dod yn gefnogwr brwd, ond dwi ddim yn meddwl ei fod o'n dyfaru na wnaeth o erioed chwarae.'

'Dyna pam ro'n i mor awyddus i ti fynd i Graig-wen hefyd,' eglurodd. 'Ro'n i'n gwybod byddet ti'n hoffi rygbi a dwi'n cyfadde 'mod i wedi bod yn gwylio tipyn o'r gêm y gaeaf yma, gan 'mod i'n trio dod yn gyfarwydd â'r rheolau newydd. Mae hi'n gêm wahanol iawn i'r un ffarweliais i â hi 'nôl yn un naw chwech wyth.

'Dwi wir yn gobeithio y bydda i'n iach fel cneuen erbyn diwedd wythnos nesa,' meddai Dewi gan wenu. 'Faswn i ddim yn hoffi colli'r cyfle i weld un o'r teulu yn chwarae mewn gêm fawr am y tro cynta ers deugain mlynedd.'

Aeth cysgod dros wyneb Owain am eiliad ond sadiodd ei hun yn gyflym. 'Baswn i'n hoffi hynna, Taid. Dwi wir yn gobeithio gellwch chi ddod i Barc yr Arfau.'

Bu'r ddau'n sgwrsio am ychydig bach mwy am chwaraeon a'r ysgol, cyn i Owain glywed rhywun yn peswch y tu ôl iddo. Ymddangosodd ei dad yn y drws.

'Helô, Dad. Dwi'n gobeithio nad ydi'r Owain 'ma'n blino gormod arnoch chi?' gofynnodd Caradog. 'Mae Arfon Mathews yma hefyd a byddai o'n hoffi gair sydyn. Mae o'n dweud bod yn rhaid iddo ddychwelyd i Gaerdydd cyn iddi dywyllu, felly wnaiff o ddim aros yn hir.'

Safodd Owain a gwylio wrth i'r ddau hen ffrind – a wahanwyd gan drasiedi ac oes o ddyfaru – ailgynnau eu cyfeillgarwch.

'Nefi, Dewi, ti'n edrych yn ffantastig. Mi glywais i dy fod ti ddim yn dda, ond maen nhw wedi gwneud camgymeriad, yn amlwg ...' meddai Mr Mathews gan gellwair.

Chwarddodd Dewi eto ac yn araf bach, dechreuodd y ddau bontio'r blynyddoedd coll.

Gadawodd Caradog i'r hen gyfeillion gael ugain munud gyda'i gilydd cyn iddo dorri ar eu traws. Daeth y prynhawn emosiynol i ben wrth i'r ddau gofleidio ac ysgwyd llaw.

'Dwi'n gobeithio na fu heddiw yn ormod i chi, Dad?' gofynnodd Caradog, wedi i'r athro a'r disgybl adael.

'Dim o gwbl, dim o gwbl,' gwenodd ei dad. 'Mae o wedi bod yn donic.'

Roedd Dewi yn iawn. Roedd ymweliad Owain ac Arfon wedi codi cymaint ar ei galon fel ei bod hi'n amlwg fod yr hen ŵr yn mynd i wella'n llwyr erbyn i'r nyrs ddod i'w archwilio y tro nesaf.

PENNOD
TRI AR HUGAIN

Wrth gychwyn ar eu taith yn ôl i Gaerdydd, roedd Owain a Mr Mathews mewn hwyliau da iawn; roedd eu hymweliad â Dewi wedi codi cryn dipyn ar eu calonnau.

'Tydi Dewi yn foi ffantastig,' meddai Mr Mathews drosodd a throsodd. 'Yr hyn sy'n edifar gen i ydi na wnes i gynnal ein cyfeillgarwch. Wnaethon ni erioed ffraeo ond dorrodd o bob cysylltiad efo Craig-wen. Symudodd o Gaerdydd, yn ôl i weithio mewn banc yn Nolgellau, a wnaethon ni ddim cyfarfod byth wedyn. Hyd yn oed pan oedd dy dad yn yr ysgol, ddaeth o ddim yn agos at y lle.'

Teimlai Owain bellach yn fwy rhydd i siarad am yrfa Dewi a llanwodd Mr Mathews nifer o'r bylchau iddo. Dywedodd mai athro o Frynaman oedd yn dysgu chwaraeon yn Nolgellau awgrymodd y dylai Dewi fynd i goleg Craig-wen, ar ôl sylwi pa mor dalentog oedd o. Bu Dewi'n llwyddiannus iawn yno ac roedd o ar drothwy gyrfa wych yn y crys coch. Dyna pam y ceisiodd penaethiaid Undeb Rygbi Cymru ei berswadio i ailgydio yn y gêm wedi'r ddamwain. Dywedodd Owain wrth ei athro fod ei daid wedi dyfaru ei enaid ei fod wedi llosgi ei luniau, ac ysgydwodd Mr Mathews ei ben yn araf.

'Mae galar yn beth ofnadwy, Owain. Wela i ddim bai ar Dewi am beidio â bod eisiau gweld y bêl hirgron byth eto. Ro'n i, fel pawb arall, yn gresynu na chafodd o erioed gyfle i chwarae dros Gymru, ond yr hyn dwi'n ei ddyfaru fwyaf yw ein bod ni wedi colli ein cyfeillgarwch. Roedd hynny'n llawer pwysicach i mi.

'Ro'n i'n gweld eisiau chwarae efo fo hefyd ac, a bod yn onest, doedd rygbi ddim yn apelio gymaint ata i ar ôl hynny. Wnes i roi'r gorau i chwarae ar ddiwedd y tymor canlynol, wedi i ni golli gêm y Cwpan Uwch ar Barc yr Arfau.'

Cafodd Owain ei atgoffa o rywbeth wrth iddyn nhw sôn am Barc yr Arfau. 'Glywsoch chi erioed sôn am chwaraewr o'r enw Gordon wnaeth chwarae ar Barc yr Arfau?' gofynnodd i'w athro.

Cymerodd Mr Mathews gip ar Owain, a golwg ryfedd ar ei wyneb. 'Do yn wir, sut ar y ddaear glywaist ti amdano fo?'

Meddyliodd Owain yn sydyn. 'Wnes ... wnes i ddarllen amdano yn y llyfrgell,' meddai, gan raffu celwyddau.

'A beth ddarllenaist ti?' holodd Mr Mathews.

'Ei fod o wedi cael ei ladd ar Barc yr Arfau,' atebodd Owain.

'Do, mae hynny'n wir. Stori drist arall. Dic Gordon,' ochneidiodd Mr Mathews. 'Gŵr o Gastell-nedd oedd o. Roedd yn chwarae ymhell cyn fy amser i ond roedd gan bobl barch mawr ato fel chwaraewr. Y peth rhyfedd ydi, y tro olaf i mi glywed ei enw yn cael ei ynganu oedd yn syth ar ôl i dy nain gael ei lladd.'

Rhythodd Owain ar yr athro, heb wybod i ble roedd y sgwrs yn mynd.

'Tua wythnos ar ôl yr angladd oedd hi ac ro'n i draw yn nhŷ Dewi. Roedd o mewn cyflwr ofnadwy, wedi'i lorio'n llwyr gan alar. Daeth cnoc ar y drws ac es i i'w agor. Safai dau ddyn ar y rhiniog, yn gwisgo cotiau tywyll, llaes.

'Wnes i eu gwahodd i'r tŷ a'u cyflwyno i Dewi. Pennaeth Undeb Rygbi Cymru oedd un ohonyn nhw, ond y llall, dyn llawer hŷn, wnaeth y siarad i gyd. Dywedodd mai ei enw oedd Geraint Gordon, a'i fod o yn or-nai i Dic Gordon.

'Dywedodd ei fod eisiau cydymdeimlo gyda Dewi am ei golled erchyll a'i fod o eisiau cynnig cefnogaeth lwyr yr undeb iddo. Doedd Dewi ddim yn hapus i'w gweld nhw ar y dechrau, ond cytunodd i glywed beth oedd ganddyn nhw i'w ddweud, ac aeth pawb i'r gegin.

'Dywedodd Mr Gordon wrth Dewi fod yr holl gymuned rygbi yn cydymdeimlo ag o yn ei brofedigaeth ac y bydden nhw'n ei gefnogi am weddill ei oes. Dywedodd wrth Dewi fod ei deulu o, hefyd, flynyddoedd yn ôl, wedi dioddef trasiedi enbyd o ganlyniad i'r gêm. Roedd ei daid yn frawd i Dic Gordon, ac roedd ei daid wastad yn dweud wrtho mai cyd-chwaraewyr Dic oedd wedi cynnal y teulu yn eu galar.

'Aeth ymlaen i adrodd hanes Dic, fu farw wedi iddo gael anafiadau difrifol ar Barc yr Arfau yn 1880. Roedd taid Geraint, Curon Gordon yn chwarae i Bontypridd y diwrnod hwnnw, a chlywodd o ddim am y ddamwain nes iddo gyrraedd adref y noson honno. Wrth gwrs, roedd teithio yn anodd bryd hynny, a dim ond prin cael cyfle i ffarwelio gyda'i frawd bach wnaeth o.

'Dywedodd Geraint wrthyn ni nad oedd ei daid byth eisiau chwarae eto wedi'r ddamwain, a gwrthododd chwarae dros Gymru yn erbyn Iwerddon y penwythnos canlynol. Roedd Dic wedi cael ei ddewis i chwarae dros Gastell-nedd mewn gêm gwpan ar yr un diwrnod, creda neu beidio. Dywedodd Geraint na allai'i daid ddioddef hyd yn oed edrych ar bêl rygbi am wythnosau wedi iddo golli ei frawd bach.

'Ond wnaeth ei ffrindiau yn y byd rygbi ei gynnal o, ac yn

y pen draw, cymerodd Curon ei le yn y rheng flaen a chwarae dros Gymru dros ugain gwaith yn ystod y tymhorau canlynol. "Rwy'n sicr na fyddai fy nhaid wedi gallu gwneud hynny heblaw am gefnogaeth ei gyfeillion," dywedodd Geraint wrth dy daid.

'Wnaethon nhw ddim aros yn hir, ond mi bwysleision nhw y gallai Dewi gael gyrfa rygbi lwyddiannus iawn. Wnaethon nhw awgrymu mai fo fyddai capten Cymru rhyw ddiwrnod ...'

'A dyna pam na chwaraeodd o byth wedyn, ia?' gofynnodd Owain.

'Wel, alla i ddim bod yn sicr, ond y noson honno roedd dagrau Dewi'n halltach nag erioed. Bu'n rhaid i mi aros efo fo yn y tŷ gan 'mod i'n poeni cymaint amdano. Doedd o ddim yn gallu gweld unrhyw fath o ddyfodol iddo'i hun heb Iola, a fyddai chwarae rygbi, yn sicr, ddim yn helpu ...

'Alwais i heibio ychydig ddyddiau'n ddiweddarach a dod o hyd iddo yn yr ardd gefn yn llosgi ei stwff rygbi mewn hen ddrwm olew. Wnaeth o jest edrych arna i a throi'i gefn arna i.

'Pan alwais i'r diwrnod wedyn, roedd o wedi mynd. Glywais i ar ôl hynny ei fod wedi gofyn i'r banc ei symud yn ôl i Ddolgellau'n syth. Dyna'r tro olaf i mi ei weld ... tan heddiw. Anghofia i byth mo'r boen yn ei lygaid wrth iddo brocio'r tân yna. Roedd o ar goll. Ar goll yn llwyr.'

Ddywedodd Owain ddim gair am sbel ac edrychai Mr Mathews yn syth yn ei flaen, yn ceisio canolbwyntio ar y ffordd ond ei feddwl yn gwibio yn ôl dwy'r degawdau at boen ei annwyl ffrind.

PENNOD
PEDWAR AR HUGAIN

Y noson honno, wrth iddo baratoi i fynd i'r gwely, gofalodd
Owain ei fod yn dadwisgo yn y stafell ymolchi. Doedd o ddim
eisiau i Rhodri – na'r un o'i gyd-letywyr eraill, chwaith – weld
y rhwymyn gwyrdd slwtshlyd oedd o dan ei grys. Tynnodd y
powltis yn ofalus a'i guddio mewn pecyn creision gwag, cyn ei
daflu i'r fasged sbwriel. Rhwbiodd ei law ar hyd ei asennau.
Doedd ganddo ddim hyd yn oed y mymryn lleiaf o boen
bellach.

Wrth iddo orwedd yn ei wely, syllodd ar y nenfwd gan
ystyried yr holl bethau newydd roedd o wedi'u dysgu heddiw.
Teimlai'n ofnadwy o drist dros ei daid – a'i dad hefyd – am eu
colled enbyd. Roedd ganddo fymryn bach o gywilydd nad
oedd erioed wedi sylwi ar absenoldeb ei nain arall, a doedd o
erioed wedi meddwl holi pam nad oedd hi yno efo'r teulu ar
fore Nadolig neu ddiwrnod pen-blwydd.

Meddyliodd am Dic hefyd, ac fel roedd ei help o wedi'i
drawsnewid fel chwaraewr. On'd oedd hi'n rhyfedd fel roedd
hanes teulu'r Gordons wedi'i blethu â hanes ei deulu o, a'r
cysylltiad yn parhau hyd heddiw? Roedd o bron â thorri'i fol
eisiau gweld Dic eto.

Y bore wedyn, gwelodd Owain Mr Charles ar ei ffordd i'r
dosbarth.

'Morgan, shwt mae'r asennau 'na? Beth ddywedodd y
meddyg?'

'Wel, syr, dywedodd o na faswn i'n barod ar gyfer y gêm

gwpan, beryg, ond y baswn i'n gallu gofyn i rywun gael golwg arna i yr wythnos nesa,' meddai, gan balu celwydd.

'Wel, gofyn i Miss Probert drefnu apwyntiad i ti ar gyfer bore dydd Mawrth. Os cei di newyddion da, fydd gen ti dridiau i ymarfer.'

Treuliodd Owain lawer o'r penwythnos yn loncian ac yn ymestyn y cyhyrau oedd wedi mynd yn ddiog yn ystod y cyfnod y bu'n segura. Daeth o hyd i storfa wag ar lawr uchaf yr ysgol, ac wedi iddo gasglu mwy o lysiau'r cwlwm o'r gamlas, aeth ati i wneud ei gymysgedd ei hun un bore dydd Sul tawel.

Wrth iddo roi'r powltis ar ei asennau, daeth cnoc ar y drws. Bu bron i Owain golli'r slwtsh gwyrdd hyd y llawr.

'Pwy sy 'na?'

'Alun,' oedd yr ateb. 'Be ar wyneb y ddaear wyt ti'n ei wneud i fyny fan hyn?'

'Baswn i'n medru gofyn yr un peth i ti – wyt ti'n fy nilyn i?' gofynnodd Owain, gan gilagor y drws.

'Wel, ydw, mae'n siŵr 'mod i,' atebodd Alun. 'Ro'n i'n poeni amdanat ti. Roeddet ti'n siarad yn dy gwsg neithiwr ...'

Cochodd Owain. 'Go iawn? O nefi, be ro'n i'n ei ddweud?'

'Dim syniad. Roeddet ti'n siarad am ysbrydion neu rywbeth. Roedd o'n od ar y naw.'

Cochodd Owain yn fwy fyth. 'Mae hynna'n wirion bost. Mae'n rhaid 'mod i wedi bwyta rhywbeth od amser swper.'

'Beth yn union wyt ti'n ei wneud yn cripian o gwmpas y coridor 'ma?' gofynnodd Alun.

'O, wel, a dweud y gwir wrthat ti, ro'n i wrthi'n rhoi'r rhwymyn yma ymlaen,' meddai Owain, gan ddangos y powltis gwyrdd i Alun. 'Do'n i ddim eisio i griw Davies wybod. Meddyginiaeth goel gwrach ar gyfer asennau wedi cracio ydi hi. Mae'n teimlo fel petai hi'n gweithio hefyd.'

'Gwych – wyt ti'n meddwl bod siawns y gallet ti chwarae i'r tîm?' gofynnodd Alun.

'Ydw, dwi'n siŵr. Dwi wedi twyllo Charles i adael i mi gael Pelydr X arall ddydd Mawrth ac erbyn hynny, dylwn i fod wedi gwella ...'

Yn ddiweddarach, cerddodd Alun ac Owain allan o'r ffreutur wedi swper diflas o gyw iâr a phasta. Roedd criw wedi ymgynnull o gwmpas yr hysbysfwrdd.

'Pam bod bwlch a marc cwestiwn yn rhestr chwaraewyr un o'r timau?' holodd un o ddisgyblion yr ysgol iau.

'Dy'n nhw ddim wedi penderfynu pwy fydd yn chwarae yn y safle 'na eto,' atebodd rhywun.

Gwthiodd Alun ei hun i flaen y criw. 'Dyma'r tîm ar gyfer gêm gwpan yr 13A,' dywedodd wrth Owain dros ei ysgwydd. 'Ac mae'n edrych fel bod Mr Charles yn mynd i gadw lle i ti.'

Roedd pedwar ar ddeg o enwau ar y daflen ond roedd bwlch a marc cwestiwn wrth ymyl rhif 12.

Gwenodd Owain cyn mynd i newid i'w wisg loncian.

Gyrrodd Miss Probert ef i'r ysbyty unwaith eto fore dydd Mawrth a rhoddodd arian iddo ddal y bws yn ôl i'r ysgol. Roedd Dr Shukla yn groesawgar iawn, ond roedd ei wyneb yn ddryslyd pan ddychwelodd o'r diwedd gyda'r Pelydr X.

'Mae hyn yn rhyfedd ofnadw, Owain. Rwy wedi gorfod ailsiecio er mwyn gwneud yn siŵr fod dim byd yn bod ar y peiriant,' meddai.

'Oes yna rywbeth o'i le?' gofynnodd Owain, gan edrych yn bryderus.

'Na, dim o gwbl. Mae dy Belydr X di yn berffaith. Byddem wedi disgwyl gweld ôl anaf ond mae hwn yn edrych fel petai dim byd o gwbl wedi digwydd i dy asenne di ers y diwrnod y cest ti dy eni. Mae o'n rhyfedd ofnadw, yn wahanol i unrhyw beth welais i o'r blaen ...'

Gwenodd Owain. 'Ydi hynna yn golygu y bydd hi'n iawn i mi chwarae rygbi penwythnos nesa?'

'Mae o'n golygu y bydd hi'n iawn i ti chwarae *heddiw* os wyt ti moyn,' gwenodd Dr Shukla.

Roedd Owain yn llawn cyffro wrth iddo gyrraedd y safle bysiau. Roedd o eisiau dychwelyd i'r ysgol i ddweud wrth Mr Charles cyn gynted â phosibl. Ond wrth iddo ddringo ar y bws, cofiodd am Dic a chymaint roedd o eisiau siarad gydag o.

'Parc yr Arfau,' meddai'n hyderus wrth y gyrrwr.

Daeth y bws i stop yng nghysgod y stadiwm ychydig funudau yn ddiweddarach, ac aeth Owain i mewn i'r arena yn dawel fach, yn ôl ei arfer. Crwydrodd o gwmpas y twneli a cherdded i ben ucha'r eisteddle, ond doedd dim golwg o Dic. Fe wnaeth Owain hyd yn oed fentro i mewn i lolfa'r pwysigion a'r stafell cymorth cyntaf, ond wnaeth ysbryd y chwaraewr rygbi ddim ymddangos.

Bu Owain yn y stadiwm am dros awr cyn iddo roi'r ffidil yn y to, a sleifio'n benisel allan o'r giât ochr.

Yn ôl yn yr ysgol, aeth i chwilio am Mr Charles er mwyn dweud wrtho am newyddion Dr Shukla. Gwenodd hwnnw a churo'i gefn. 'Mae hynna'n ardderchog, Morgan. Wela i di yn yr ymarfer am chwech.'

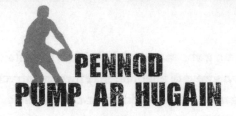

PENNOD PUMP AR HUGAIN

Y diwrnod cyn y gêm, gosodwyd taflen arall ar yr hysbysfwrdd y tu allan i'r ffreutur yn ystod amser brecwast. Yno, o dan y manylion i'r rhai oedd eisiau teithio i'r gêm, roedd rhestr y tîm diwygiedig. Ac yno, ger rhif 12, roedd yr enw 'O. Morgan'.

'Gwych!' bloeddiodd Alun. 'Ti yn y pymtheg cyntaf!'

Gwenodd Owain wrth i nifer o bobl guro'i gefn. Llamodd yn ôl, fodd bynnag, pan welodd ddwrn yn torri trwy ei griw o ffrindiau, ac yn ei fwrw yn ei asennau.

'Oi, wnaeth hynna frifo,' llefodd, gan droi at y dwrn, a berthynai i Richie Davies.

Roedd y maswr o fwli yn crechwenu. 'Gobeithio bydd dim problem gyda'r asenne, Morgan,' brathodd. 'Mae hi'n gêm fawr i ionc o Ddolgellau.'

'Mae'r asennau'n iawn, Davies. Y rhai ar yr ochr arall oedd wedi cracio,' chwarddodd Owain.

Trodd y bwli ymaith, yn gandryll, wrth i weddill y bechgyn biffian chwerthin ar ei ben.

Ychydig cyn un o'r gloch, daeth llais y prifathro dros yr uchelseinydd yn cyhoeddi na fyddai gwersi yn y prynhawn a'i fod o'n gobeithio gweld pawb ar Barc yr Arfau y diwrnod canlynol. Gofynnodd Mr Hopcyn i sgwad y gêm gwpan ddod i'w swyddfa ar ôl gwers ola'r dydd.

Ymunodd Owain gyda'r criw wrth i'r bechgyn fartsio i swyddfa'r prifathro. Roedd hi'n stafell fawr, ac ar y bwrdd hir a gâi ei ddefnyddio ar gyfer cyfarfodydd, roedd mynydd o ddanteithion blasus.

'Nawr 'te, fechgyn,' cyhoeddodd Mr Hopcyn, ''wy'n sylweddoli nad dyma'r peth iachaf cyn gêm mor bwysig, ond mae Mr Charles yn dweud eich bod chi i gyd wedi gweithio'n galed a wnaiff *ychydig bach* o bitsa a byrgyrs ddim drwg i chi. Felly bwytewch, ond peidiwch â'i gor-wneud hi!'

Syllodd y bechgyn ar y bwyd oedd wedi'i wahardd ers misoedd, a daeth dŵr i'w dannedd. Roedd nerfau Owain yn dechrau cyniwair wrth iddo feddwl am y gêm, felly doedd o ddim yn llwglyd iawn, ond cydiodd mewn darn o bitsa er mwyn bod yn gwrtais.

'Diolch, syr,' meddai, wrth i Mr Charles ddod draw ato.

'Ben-di-gedig,' byrlymodd Gavin Johnston drwy gegiad o fyrgyr a bynsen.

''Wy'n clywed dy fod ti wedi bod drwy'r felin, Mr Morgan,' meddai'r prifathro. 'A fyddi di'n ffit ar gyfer fory?'

'Byddaf, syr. Wnes i anafu fy asennau ond wnaethon nhw wella'n gyflym a bydda i'n iawn.'

'Mae hynny'n dipyn o ryddhad i Mr Charles, 'nôl beth rwy'n ei glywed. Ti wedi gwneud argraff fawr arno fe wrth ddatblygu cystal mewn cyn lleied o amser. Ody e'n wir nad ocddet ti erioed wedi chwarae rygbi cyn i ti ddod i Graig-wen? Ac mewn llai na chwe mis, mae Mr Charles yn meddwl mai ti yw ei brif arf e i ennill y gêm ...'

'Wel ...' mwmialodd Owain, y ganmoliaeth yn gwneud iddo deimlo'n annifyr, yn enwedig gan fod Gavin hefyd yn clywed y sgwrs, '... mae gynnon ni nifer o chwaraewyr da a dwi wedi dysgu'n gyflym gyda help Mr Charles a Mr Mathews.'

'Mr Mathews?' meddai'r prifathro. 'Ro'n i'n credu ei fod e wedi rhoi'r gorau i hyfforddi oes yn ôl?'

'Na, wel, do, ond …' meddai Owain yn ffrwcslyd. 'Ond ro'n i'n gweld ei lyfr o'n ddefnyddiol iawn.'

'O, yr hen beth 'na. Wyddwn i ddim ei fod e'n dal mewn print. Wnaeth e ein gorfodi ni i gyd i'w ddarllen pan gyhoeddwyd e.'

Er mawr ryddhad i Owain, aeth y prifathro yn ei flaen i siarad gyda'r criw nesaf o fechgyn. Edrychodd Gavin arno'n ddifrifol.

'"Ei brif arf e?" Ble clywodd e hynny?'

'Ddim gen i!' meddai Owain.

'Hy, chi olwyr sydd wastad yn cael y rhan fwya o'r sylw ond ni'r blaenwyr sydd yn gwneud y gwaith caib a rhaw. Rwy'n gobeithio gwnewch chi werthfawrogi popeth ry'n ni'n 'i wneud pan y'ch chi'n casglu eich medalau fory.'

Gofynnodd Mr Charles i'r bechgyn newid i'w tracwisgoedd ar ôl cinio ac aeth â nhw i redeg o gwmpas tir yr ysgol.

'Gadewch i ni gael y pitsa 'na mas o'ch system chi cyn fory. Fyddai Sam Warburton ddim yn bwyta'r fath beth cyn gêm fawr.'

Roedd hi'n sesiwn ymarfer dawel, a wnaeth yr un o'r chwaraewyr ddangos fawr o sbarc. Dywedodd Mr Charles wrthyn nhw am beidio poeni, fod y gwaith i gyd eisoes wedi'i wneud, ac mai nhw fyddai'r tîm gorau ar y cae fory. Y cwbl fyddai eisiau iddyn nhw ei wneud fyddai cofio eu cynlluniau a bydden nhw'n sicr o sgorio.

Crwydrodd Owain yn ôl i'r ysgol yng nghefn y grŵp a daeth Mr Charles ato wrth iddo gerdded. 'Ydi popeth yn iawn, Morgan?' gofynnodd, gan edrych yn syth i fyw llygaid Owain.

'Dwi'n iawn, syr, ond fymryn yn nerfus. Faint o bobl fydd yn gwylio?'

'Paid â meddwl am hynny, grwt. Unwaith y clywi di'r chwiban gynta, wnei di ddim gweld na chlywed neb heblaw am grysau du a melyn Sant Oswyn. A dweud y gwir, 'wy ddim yn credu y daw fawr o gefnogwyr y Gleision i wylio tan y deng munud olaf, felly fydd dim eisiau i ti fecso am neb ond y mamau a'r tadau a'r chwiorydd bach fydd yn sgrechian yn y gynulleidfa.'

'A'r teidiau, wrth gwrs,' meddai Mr Mathews, oedd yn sefyll ar risiau'r ysgol. 'Dwi newydd gael yr alwad hyfrytaf gan Dewi. Dywedodd wrtha i fod y meddyg wedi dweud ei fod e'n well ac yn ddigon da i deithio. Mae dy dad wedi llwyddo i drefnu seddi braf, allan o'r gwynt iddyn nhw hefyd.'

Gwenodd Owain fel giât, wrth ei fodd fod ei daid yn amlwg yn llawer gwell, ac y byddai o'n cael cyfle i'w weld yn chwarae yn y Stadiwm Genedlaethol wedi'r cyfan.

'Waw,' meddyliodd, cyn sylweddoli fod ei nerfau wedi gwaethygu. 'Chysga i ddim winc heno.'

Doedd dim angen i Owain boeni; cysgodd drwy'r nos. Roedd hi'n dal yn dywyll pan ddeffrôdd, ond pan gerddodd at y ffenest ac edrych ar ei oriawr, roedd yr haul yn dechrau dod i'r golwg. Syllodd ar y gwyll am ychydig funudau, yn ceisio dychmygu ble yn yr awyr y byddai'r haul pan chwythai'r dyfarnwr ei chwiban, saith neu wyth awr yn ddiweddarach.

'Wyt ti'n iawn, Owain?' Daeth llais bychan o'r tu ôl iddo. 'Wnest ti gysgu llawer?'

'Fel babi,' atebodd Owain. 'Dim ond newydd ddeffro ydw i. Mae hi'n edrych fel y bydd hi'n ddiwrnod braf.'

Llamodd Alun allan o'i wely ac edrych ar yr awyr. 'Diwrnod mawr i chdi, mêt. Ydi dy rieni di'n dod i'r gêm?'

'Ydyn – a Taid hefyd.'

'Waw, gawn ni gyfarfod yr enwog Dewi Morgan o'r diwedd. Fedri di gael ei lofnod o i mi?'

Syllodd Owain ar Alun. 'Ei lofnod? Pam?'

'Rwyt ti'n cymryd dy daid yn ganiataol,' meddai Alun, gan bwytio at y plac a grogai ar y drws. 'Ond mae o'n chwaraewr rygbi gwirioneddol chwedlonol.'

'Chwaraewr rygbi chwedlonol? Dyma fi, ar y gair!' meddai Rhodri, oedd yn sefyll wrth ei wely yn dylyfu gên. 'Heddiw yw'r diwrnod pan fydd y byd yn darganfod pa mor wych yw Rhodri Ceredig!!'

Edrychodd Owain ar Alun a gwgu. Roedd Rhodri yn colli arno'i hun. Roedd yn lwcus ei fod yn y tîm ond meddyliai bellach mai fo oedd y chwaraewr rygbi gorau erioed. Doedd Parc yr Arfau, o flaen tyrfa fawr, ddim o'r lle gorau i wneud camgymeriadau.

Bwytaodd y tîm frecwast gyda'i gilydd cyn mynd i redeg am chwarter awr. Roedd hi'n fore braf ac oer, ac wrth iddyn nhw ddychwelyd yn ôl i'r ysgol, sylwodd Owain ar hen ŵr yn eistedd mewn cadair olwyn y tu allan i adeilad yr ysgol, o dan fynydd o flancedi.

'Taid!' llefodd, gan ruthro draw ato. Daeth gweddill y tîm i stop wrth i bawb rythu ar un o chwaraewyr chwedlonol Craig-wen.

'Mae hi'n bleser mawr cwrdd â chi, syr,' meddai Mr Charles, gan ysgwyd llaw Dewi, 'yn enwedig ar ddiwrnod mor bwysig i'ch teulu. Mae'n siŵr y bydd gweld eich ŵyr yn chwarae ar Barc yr Arfau yn rhoi pleser mawr i chi.'

'O, bydd, yn bendant,' meddai Dewi. 'Dwi'n falch iawn o'r Owain ifanc 'ma. Ry'ch chi wedi gwneud joban dda iawn gyda'i rygbi o.'

Gwenodd Mr Charles, rhywbeth na wnâi yn aml. 'Wel, Mr Morgan, mae 'na rywbeth am y crwt sy'n gwneud i mi feddwl fod 'na elfen arbennig yn ei waed e hefyd.'

Cerddodd Mr Mathews i lawr y grisiau i gyfarch ei hen ffrind, a ffarweliodd Owain, gan egluro fod ganddo gyfarfod tîm cyn iddyn nhw fynd i'r stadiwm.

Cafodd Dewi air tawel efo fo cyn iddo adael. 'Cofia Owain,' sibrydodd, 'dim ond gêm ydi hon. Un ffantastig, ond un y galli di ei gadael ar ôl pan gerddi di oddi ar y cae. Dwi'n gwybod y gwnei di dy orau glas, achos dyna'r math o hogyn wyt ti. A beth bynnag ddigwyddith, rwyt ti wedi gwneud dy fam a dy dad a fi yn falch ohonot ti.'

Trodd Owain ymaith yn sydyn, er mwyn cuddio'r dagrau oedd yn cronni yng nghornel ei lygad.

Hedfanodd y bore heibio wrth i Mr Charles drafod eu gemau blaenorol a'r symudiadau oedd wedi sicrhau ceisiau iddynt. Atgoffodd y tîm o'r camgymeriadau gwirion oedd wedi costio pwyntiau iddyn nhw yn y gorffennol, gan ddweud eu bod wedi dysgu o'u camgymeriadau ac na fydden nhw'n eu gwneud heddiw. Dywedodd wrth Richie Davies drosodd a thro fod ganddo linell gref y tu ôl iddo, a bod angen iddo gael y bêl allan iddyn nhw cyn gynted â phosibl.

Aeth Mr Hopcyn a'r tîm am dro bach drwy Barc Bute, gan ddweud wrthyn nhw fod hwn yn un o hen, hen draddodiadau Craig-wen.

'Roedd Mr Mathews yn dweud wrthym ni am y troeon roedd e'n arfer mynd am dro yn fan hyn gyda Dewi Morgan, ac fel bydden nhw'n cerdded i'r stadiwm. Mae gennych chi, fechgyn, fws braf i fynd â chi, wrth gwrs, ond peidiwch ag anghofio y bydd Dewi a Mr Mathews yno heddiw yn eich cefnogi. Mae traddodiad yn bwysig iawn mewn rygbi ac yng Nghraig-wen. Heddiw, byddwch chi i gyd yn dod yn rhan o'r traddodiad 'na.'

Roedd gan Owain lwmp yn ei wddf wrth i'r bws yrru dros y bont tua Pharc yr Arfau. Daeth y bws i stop yn y twnnel, lle y cyfarfu o a Dic am y tro diwethaf, a meddyliodd am funud i ble'r aeth ei ffrind.

Er i dîm Craig-wen setlo yn eu stafell newid, roedd hi'n amlwg fod y mwyafrif o'r bechgyn yn rhyfeddu at yr achlysur.

'Meddyliwch,' meddai Gavin, 'wnaeth Leigh Halfpenny dynnu ei sanau ble rwy'n eistedd!'

'Fetia i nad oedd ei draed o'n drewi cymaint â dy rai di,' rhuodd Lleu ar draws y stafell.

'Pwyllwch, fechgyn,' meddai Mr Charles, oedd wedi synnu cymaint â'r bechgyn at safon y cyfleusterau. 'Dylwn i fod wedi dod â DVD o'r gêm gynderfynol i ddangos i chi,' meddai, gan bwyntio at sgrin soffistigedig yr olwg ar y wal.

'Gawn ni wylio *Rownd a Rownd* yn lle hynny?' gofynnodd Rhodri dan wenu.

Newidiodd y sgwad gyfan i mewn i git gwyrdd a gwyn Craig-wen a safodd pawb pan ddaeth y prifathro i mewn gyda Mr Mathews. Gofynnodd iddo ddweud ychydig eiriau.

'Wel, hogiau, dyma ddiwrnod mwyaf eich gyrfa rygbi hyd yma,' dechreuodd. 'Mae hi'n fraint ac anrhydedd i chi gael cynrychioli'r ysgol yn y gêm gwpan yma ac yn y stadiwm ragorol yma. Dwi'n gwybod na wnewch chi siomi eich hunain na'ch ysgol, ond cofiwch wneud yn siŵr eich bod chi'n mwyhau eich hunain. Chaiff rhai ohonoch chi byth siawns i chwarae yma eto, felly gwnewch yn fawr o'r cyfle. Mae eich teuluoedd, eich ffrindiau a'ch cyd-ddisgyblion i gyd yn eich cefnogi, ynghyd â degau o gyn-chwaracwyr Craig-wen, a minnau yn eu plith, wrth gwrs. Felly, pob lwc i chi, o waelod calon, a chofiwch, *Victoria Concordia Crescit – Drwy gydymdrech y daw buddugoliaeth.*'

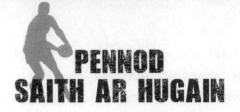

PENNOD
SAITH AR HUGAIN

Roedd hogiau Craig-wen yn aros yn y twnnel wrth ymyl eu gwrthwynebwyr o Sant Oswyn. Wrth i'r timau syllu ar ei gilydd ac edrych ar bopeth oedd o'u cwmpas, daeth llais electronig cras drwy ben y twnnel. Roedd y cyhoeddwr yn darllen neges gynta'r dydd dros uchelseinydd y stadiwm, yn croesawu'r cefnogwyr, cyn gweiddi, 'A 'co nhw'n dod, y timau sydd ar fin brwydro am Gwpan yr Ysgolion Iau.'

'Bant â chi,' meddai'r cynorthwyydd. 'Mae'r lle dan ei sang, a phawb yn aros amdanoch chi.'

Edrychodd Rhodri ar Owain a llyncu'n galed, ond pan aethon nhw allan i'r haul, roedden nhw'n falch o weld mai dim ond tynnu coes roedd y cynorthwyydd; rhesi tenau o gefnogwyr oedd yn yr arena fawr.

'Dwy fil, ella,' meddai Rhodri, gan edrych o'i gwmpas. 'Digon parchus ar gyfer gêm ysgol o dan 13 oed.'

'Bydd 'na lawer iawn mwy yna erbyn y diwedd,' meddai'r canolwr allanol, Gwyn Huws, wrth iddo loncian o un pen o'r cae i'r llall gan fwynhau'r awyrgylch.

Edrychodd Owain draw at y rhesi lle roedd cefnogwyr Craig-wen wedi ymgynnull a chwifio'i law. Yna cofiodd na fyddai ei daid gyda'r bechgyn ysgol a chraffodd i gyfeiriad y seddi cyfforddus i weld a oedd golwg o'i deulu ymhlith y cefnogwyr. Rhoeson nhw saliwt iddo a chododd yntau ei law i'w cydnabod.

Ar ôl gorffen cynhesu, cymerodd y timau eu safleoedd, a disgwyl am chwiban y dyfarnwr.

Ysgol fawr yng nghanol y dref oedd Coleg Sant Oswyn, a bu tîm rygbi'r ysgol yn cystadlu yn erbyn Craig-wen ers blynyddoedd. Roedd eu chwaraewyr yn gyflym ac wedi'u drilio'n dda gan un o gyn-asgellwyr Cymru, fu'n hyfforddi un o glybiau gorau Caerdydd am sawl tymor. Fe lwyddon nhw i gael y bêl allan i'w holwyr nifer o weithiau yn y munudau cyntaf, ond daliodd amddiffyn Craig-wen yn gryf.

Gyrrodd eu cefnwr y bêl fry i'r awyr a sylwodd Owain ei fod o islaw'r bêl. Ers y sesiwn ymarfer gyntaf, annifyr honno, pan chwarddodd pawb am ei ben, roedd Owain wedi bod yn chwaraewr dibynadwy o dan bêl uchel. Roedd yn rhywbeth roedd yn falch ohono. Ond rŵan, yng ngêm bwysicaf ei yrfa fer, gwnaeth Owain lanast o bethau.

Bownsiodd y bêl oddi ar ei fron, ac er iddo grafangu yn ei flaen i geisio'i dal, disgynnodd ar y llawr.

Chwibanodd y dyfarnwr a gweiddi 'taro 'mlaen'.

'Dala'r bêl, Morgan,' poerodd Davies drwy'i ddannedd, gan rythu ar Owain.

Symudodd Sant Oswyn y bêl allan ar wib o'r sgrym i'w hasgellwr a gwibiodd hwnnw heibio i Lleu cyn croesi'r llinell yn y gongl.

Fe wnaeth y tîm ymgynnull o dan y pyst ar gyfer y trosiad.

'Er mwyn popeth, stopiwch wneud y camgymeriadau dwl,' cyfarthodd Davies.

Cochodd Owain; gwyddai mai fo oedd ar fai. Edrychodd draw at y bwrdd sgorio enfawr lle roedd rhif '7', oedd ddwywaith cyn daled â Mr Charles, newydd ymddangos ger 'Sant Oswyn'.

'Cau dy ben, Davies,' brathodd Gavin. 'Mae Owain yn

chwaraewr arbennig. Dyna'r bêl gyntaf iddo'i gollwng drwy'r tymor.'

Mwmialodd tri neu bedwar o chwaraewyr eu cefnogaeth.

Bwriwyd Davies oddi ar ei echel o weld y tîm, a fu wastad o dan ei fawd, yn ei herio. 'Iawn, gadewch i ni glatsho bant,' meddai, 'a chofiwch y symudiade.'

Fel roedd hanner amser yn agosáu, ciciodd Sant Oswyn gic gosb wnaeth ymestyn eu sgôr i 10-0, cyn i eiliad bwysicaf y gêm gyrraedd.

Roedd blaenwyr Craig-wen wedi cipio'r bêl mewn ryc ac yn cadw pethau'n dynn wrth i'r olwyr geisio darganfod y ffordd orau o ymosod. Plygodd Rhodri i godi'r bêl a'i ffugbasio hi i Davies. Daeth un o chwaraewyr ail reng mawr Sant Oswyn allan o'r ryc a rhuthro'n syth am faswr Craig-wen.

Aeth sŵn y gwrthdrawiad fel eco o gwmpas y stadiwm enfawr, a'i seddi gweigion.

Clec!

Crac!

'Aaa!'

Rhewodd y ddau dîm, gan syllu ar y chwaraewr clwyfedig oedd yn gorwedd ar y llawr yn cydio yn ei fraich.

'Aaa!' udodd unwaith eto, wrth i'r hyfforddwr a'r meddyg ruthro ar y cae.

Roedd Davies wedi gwelwi ac edrychai'n ofnus. 'Rwy'n credu ei fod e wedi torri, syr,' meddai. 'Clywais sŵn crac.'

Daeth bechgyn Ambiwlans St John i'r cae i helpu'r meddyg i godi Davies yn ofalus ar y stretsier.

Gyda dim ond ychydig eiliadau'n weddill tan hanner

amser, gadawodd y dyfarnwr ddigon o amser i'r gêm
ailddechrau, cyn chwythu ei chwiban.

Ar hanner amser, roedd y ddau dîm yn benisel wrth iddyn
nhw grwydro drwy'r twnnel, ond roedd pedwar dyn ar ddeg
Craig-wen yn gwbl fud.

'Reit 'te, bois, mae Richie mewn dwylo diogel,' meddai Mr
Charles. 'Bydd e'n iawn – a ninnau hefyd. Ry'n ni wedi bod
damed yn anlwcus hyd yma, ond unwaith y gwnewch chi
fwrw ati, mi wnewch chi ddechre sgorio.

'Roberts, bydd yn barod,' aeth yn ei flaen. ''Wy'n mynd i
dy roi di yn safle'r canolwr mewnol. Morgan, symuda di i
safle'r maswr. Ti fydd yn cymryd y ciciau gosod hefyd.'

Trodd pawb i syllu ar Owain. Gwyddai pawb am ei ffrae
flwydd oed gyda Davies, ac roedd y mwyafrif yn cydymdeimlo
ag Owain. Ond, o dan yr amgylchiadau, doedd hi ddim yn
teimlo'n iawn, rywsut, ei fod o'n symud i'r safle rhif 10
gwerthfawr.

Nodiodd Owain, gan ofni dweud dim.

Safodd a chymryd cip ar y cloc. Roedd chwe munud ar ôl
cyn yr ail hanner.

'Dwi angen mynd i'r tŷ bach, syr,' meddai, ac aeth yn syth
at y ciwbicl oedd bellaf oddi wrth y lle newid, eistedd i lawr, a
rhoi'i ben yn ei ddwylo.

'Beth sy'n bod?' Daeth llais o'r ochr arall i'r drws.

'Dic!' meddai Owain. 'Ble ti wedi bod? Alwais i wythnos
dwytha.'

'Stori hir, gw'boi, ond fydda i ddim yma am fawr hirach.
Mae'r ffaith mai ti oedd y person cynta i 'ngweld i wedi …
ymm … tynnu sylw *rhai pobl* at fy mhresenoldeb i yma. Allan

nhw ddim caniatáu i hynny ddigwydd, felly rwy'n mynd bant i le gwell – os galli di ddychygu'r fath beth,' gwenodd.

'Felly wela i mohonot ti eto?' gofynnodd Owain.

'Na wnei, yn anffodus,' atebodd Dic.

Gadawodd Owain y ciwbicl gan edrych ar yr ysbryd, oedd fel petai eisoes yn dechrau pylu.

'Rwy wedi mwynhau ein sgyrsiau, a ti wir wedi fy helpu i ailgysylltu â'r byd rygbi – a Chastell-nedd – eto. Ond dyw e ddim yn iawn 'mod i'n loetran ymbytu fan hyn am gant tri deg chwech o flynyddoedd, felly bydda i'n mynd cyn hir. Dywedon nhw y gallen i aros i wylio dy gêm di, a bydda i'n dy gefnogi di bob cam o'r ffordd,' meddai Dic.

Cnodd Owain ei wefus. 'Welaist ti'r anaf 'na gafodd Davies? Mae'r hyfforddwr wedi gofyn i mi gymryd ei le fel maswr. Dwi wedi dychryn am fy mywyd.'

'Paid â bod ofn,' meddai Dic. 'Ti'n chwaraewr gwych gyda sgiliau naturiol. Bydd y bêl yn dod atat ti ychydig yn glouach ond gwna beth sy'n reddfol, a byddi di'n iawn. Mae holl amddiffyn y tîm arall yng nghanol y cae. Gwna'n sicr fod y bêl yn mynd mas i'r asgellwyr ac fe gewch chi'r ceisie.'

'Diolch,' meddai Owain, yn teimlo'n llawer gwell. 'Mae yna ŵr yn y bocs lletygarwch wrth ymyl y ddwy ar hugain y dylet ti gymryd cip arno. Fo ydi'r enwog Dewi Morgan.'

'Dyna enw o'r gorffennol,' gwenodd Dic, 'yn union fel fi. Ond enw i'r dyfodol wyt ti, felly cer mas 'na a chipia'r cwpan i Graig-wen!'

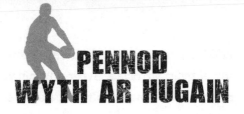

PENNOD
WYTH AR HUGAIN

Rhuthrodd Owain yn ôl i'r stafell newid, lle yr ymddiheurodd i Mr Charles am fod mor hir. 'Nerfau, syr,' mwmialodd.

'Ocê, bois, setlwch nawr. Ni'n mynd i gadw pethau'n syml a chanolbwyntio ar beidio gwneud camgymeriade. Chi yw bechgyn Craig-wen. Mae gennych chi bopeth ry'ch chi ei angen i ennill y gêm yma, felly ewch mas a gwneud hynny.'

Cerddodd Owain i ganol y cae ar ei ben ei hun bach. Taflodd y dyfarnwr y bêl iddo a gosododd Owain hi ar y llinell wen a'i chicio i gyfeiriad Eisteddle'r Gorllewin.

Dilynodd y blaenwyr y gic adlam berffaith a chipiwyd y bêl yn lân. Roedd hyder y pac yn tyfu ac ar ôl i'r bêl gyrraedd y llinell ddwy ar hugain, cododd Gavin hi a charlamu'n syth am y pyst. Dryswyd Sant Oswyn gan y symudiad hy, a dim ond tair metr o'r llinell oedd Gavin pan lwyddon nhw i'w lusgo i'r llawr.

'Gwych, Gav, gwych,' chwarddodd Owain wrth i bac Craig-wen gefnogi eu cyd-chwaraewr.

Roedd Gavin wedi troi ei gorff wrth iddo ddisgyn, felly roedd y bêl ar yr ochr iawn a chododd Bedwyr hi a'i bwydo yn ôl drwy'i goesau. Safodd Rhodri dros y bêl, yn ceisio penderfynu pa ffordd i'w thaflu, pan nodiodd Owain a phwyntio i ble yr oedd o eisiau'r bêl.

Taflodd Rhodri'r bêl yn bell allan o flaen ei faswr ond symudodd Owain fel mellten gan redeg ati, ochrgamu heibio un o chwaraewyr Sant Oswyn, a phlymio dros y llinell am gais

Derbyniodd longyfarchiadau ei gyd-chwaraewyr cyn troi a pharatoi ei hun ar gyfer y trosiad. Bwriodd y bêl yn dda ond chwythodd hwrdd o wynt hi allan i'r dde. Daliodd Owain ei anadl wrth i'r bêl fwrw ochr fewn y postyn a disgyn i'r llawr. Edrychodd y llumanwyr ar ei gilydd a chodi eu fflagiau – roedd Craig-wen yn ôl yn y gêm, a'r sgôr yn 10-7.

Ond wnaeth unrhyw obeithion fod Sant Oswyn ar chwâl ddim para'n hir. Roedd eu chwarae'n gyson wrth i Graig-wen geisio torri trwy eu hamddiffyn cadarn a dechrau ailymosod.

Rhwystrwyd ymosodiad gan Sant Oswyn ar yr ochr dde ar y 22, ond daeth Bedwyr i mewn i'r ryc o'r ochr a chwibanodd y dyfarnwr am gic gosb.

'Giciwn ni hi,' meddai maswr Sant Oswyn, gan wneud hynny'n llwyddiannus a'u rhoi nhw ar y blaen o chwe phwynt.

Gwnaeth Craig-wen bob ymdrech i hawlio'r meddiant, ond gwastraffwyd cyfle ar ôl cyfle, a gyda dim ond dau funud yn weddill, roedden nhw'n dal heb ennill tir. Dyfarnwyd sgrym iddyn nhw ar y llinell hanner, ond bu oedi wrth i un o chwaraewyr Sant Oswyn gael triniaeth ar ei ffêr glwyfedig.

Cymerodd Owain lymed o'i botel ddŵr a syllu i fyny i'r eisteddle wrth i gefnogwyr y Gleision ddechrau mynd i'w seddi cyn ail gêm fawr y diwrnod.

I'r chwith o'r bocs lletygarwch, lle eisteddai ei deulu, gwelodd Owain Dic. Agorodd Dic ei freichiau yn llydan gan bwyntio at yr esgyll. Cofiodd Owain ei gyngor ar hanner amser. Roedd yn werth ei drio.

'Gwrandwch, hogia,' meddai wrth yr olwyr. 'Mae eu holwyr nhw i gyd wedi casglu yn y canol, felly gadewch i ni gael y bêl allan i Joseff a Siôn ar yr esgyll.'

Cafodd Craig-wen sgrym gref; plymiodd Rhodri i'r llawr a thaflu'r bêl allan yn gyflym i Owain. Rhedodd yntau ddeg metr cyn hyrddio'r bêl yn bell i'r dde. Roedd o wedi osgoi taflu'r bêl i Meic Roberts, y canolwr mewnol, yn fwriadol, a thwyllodd y symudiad annisgwyl Sant Oswyn.

Symudodd Ffred y bêl yn gyflym i Siôn Harries, ac yn sydyn, sylweddolodd yr asgellwr ei fod o ar ei ben ei hun bach mewn bwlch gwag. Siôn oedd rhedwr cyflymaf yr ysgol gyfan, a doedd o ddim yn mynd i gael ei ddal gan neb ar y cae, yn enwedig gan ei fod o ddeg metr ar y blaen.

Gwibiodd tua'r pyst, cyn plymio'n hy, a thirio'r bêl oddi tanyn nhw, gan ddod â'r sgôr i 13-12.

Daeth bonllefau o'r dorf, oedd bellach wedi cynyddu wrth i filoedd dyrru i'w seddi ar gyfer y gêm nesaf. 'Craig-wen, Craig-wen,' bloeddiai pawb.

'Faint o amser sydd ar ôl?' gofynnodd Owain i'r dyfarnwr.

'Dim, bachan,' atebodd. 'Hon yw cic olaf y gêm. Pob lwc.'

Cymerodd Owain y bêl gan Siôn, oedd yn gwenu fel giât. 'Pob lwc, Owain. Allet ti gicio hon yn dy gwsg.'

'Diolch,' meddai Owain o dan ci wynt. 'Dim pwysau, 'ta.'

Roedd Siôn yn iawn, wrth gwrs, ond doedd o ddim wedi sylweddoli pa mor nerfus y teimlai Owain yn sydyn. Gwyddai'r maswr yn iawn beth oedd yn y fantol – ac roedd y rhu enfawr ddaeth o'r dorf yn dilyn y cais wedi gwneud iddo sylweddoli am y tro cyntaf faint o bobl oedd yn gwylio'r gêm erbyn hyn.

Plygodd ar ei ben-glin a gosod y bêl yn erbyn y ti cicio. Edrychodd tua'r pyst a chafodd fraw o weld Dic yn sefyll oddi tanyn nhw, ar bwys y llumanwyr.

'Dere 'mlaen nawr, Owain,' gwaeddodd. 'Pwylla a chadw dy lygaid yn llydan agored.'

Gwenodd Owain wrth iddo edrych i fyny ar y pyst gwyn oedd fel dwy nodwydd yn treiddio'r awyr las, fry uwch y stadiwm. Camodd yn ôl i'w farc a rhedeg ymlaen, gan gadw ei lygaid ar ble roedd o'n mynd i gicio'r bêl.

Wwwwsh!

Bwriodd Owain y bêl yn berffaith a gwyliodd wrth iddi hedfan i'r awyr, gan wybod ei bod hi'n gwbl syth. Cododd y llumanwyr eu fflagiau bychain a chwythodd y dyfarnwr ei chwiban, a'i ddilyn gydag un chwibaniad arall.

Dyna'r peth olaf glywodd Owain cyn iddo gael ei foddi dan fôr o grysau gwyrdd a gwyn.

'Hei, gwyliwch fy 'sennau!' llefodd wrth i'w gyd-chwaraewyr gofleidio'i gilydd mewn buddugoliaeth.

Rhedodd y bechgyn o gwmpas y cae fel pethau gwirion am bum munud, cyn i Mr Charles eu hel at ei gilydd. 'Grêt, bois, roedd hynna yn ffantastig. 'Wy mor browd ohonoch chi i gyd. Nawr ewch draw i ysgwyd llaw â phob un o chwaraewyr Sant Oswyn a gadewch i ni gasglu'r cwpan 'ma. Mae Cory Allen yn barod i ddod i'r cae ac ry'n ni'n sefyll yn ei ffordd e!'

Daeth Richie Davies at y criw, ei fraich mewn sling. 'Da iawn, bois,' meddai, '... hyd yn oed yr ionc.' Edrychodd Owain arno ac roedd ganddo biti drosto yn sydyn.

'Ia, diolch, Davies. Wnaethon ni dy golli di heddiw.'

Edrychodd y chwaraewyr ar ei gilydd a doedd yr un ohonyn nhw eisiau bod y cyntaf i chwerthin.

'Ha, ha!' rhuodd Rhodri. 'Dyna un dda, Owain.'

'Ie, un dda,' gwenodd Davies. 'Diolch am gadw fy safle i'n

dwym, Morgan. A da iawn heddiw. Ond bydda i 'nôl yn safle rhif 10 y tymor nesa.'

Gwenodd Owain a phwyntio at y cwpan arian enfawr oedd wedi cael ei osod ar fwrdd o flaen Eisteddle'r Gorllewin. 'Wel, gobeithio galli di godi hwnna gydag un fraich. Cofia, rho floedd i mi os wyt ti angen help llaw.'

Casglodd y tîm eu medalau a gwasgodd Owain ei fedal ef yn dynn wrth iddo godi llaw ar ei deulu. Cododd Dewi ei law yn ôl. Gallai Owain weld ei wên hanner canllath i ffwrdd.

Hyfforddwr y Gleision a gyflwynodd y cwpan i Davies ac roedd yn cael trafferth i'w godi heb help llaw. Cymerodd y tîm eu tro i'w godi uwch eu pennau cyn loncian draw at gefnogwyr Craig-wen, a chael bonllef o gymeradwyaeth ganddyn nhw.

'Nawr, fechgyn,' meddai Mr Charles wrth i bawb gyrraedd y stafell newid. 'Gewch chi aros i wylio gêm y Gleision os mynnwch chi, ac yna byddwn ni i gyd yn cwrdd yn yr ysgol am barti am 7.30 heno. Dim byd ffansi, ond dewch â'ch teuluoedd hefyd.'

Gadawodd Owain ei grys rygbi amdano, ond newidiodd o'i siorts yn sydyn a llamu i fyny'r grisiau, dri ar y tro, er mwyn cyrraedd y bocs lletygarwch. Doedd ganddo ddim tocyn; roedd y cynorthwyydd wedi'i adnabod yn sgil ei berfformiad gwych ar y cae.

'Owain, roeddet ti'n ffantastig,' meddai Dewi, oedd yn edrych yn hapusach nag a welodd Owain o erioed.

'Diolch, Taid. A dweud y gwir, wnes i fwynhau chwarae yn safle'r maswr ar ôl sbel.'

'A beth ddaeth drosot ti i wneud y bàs hir yna ar y diwedd? Roedd hynna'n wych.'

Gwenodd, gan feddwl am Dic.

'Wyddost ti beth, Dewi,' meddai Arfon Mathews. 'Dwi ddim yn meddwl i mi weld rhywun yn gwneud cystal sioe yn gwisgo'r crys rhif 10 i Graig-wen ers i fachgen ifanc arall o'r enw Morgan ei wisgo.'

Plygodd Owain i gofleidio'i daid a gweld ei fod yn cydio mewn llyfr mawr.

'Albwm o luniau o bob tîm dwi wedi chwarae iddyn nhw ydi hwn,' meddai Dewi. 'Roedd gan Arfon bob un ohonyn nhw, wrth gwrs, a threfnodd i gael copïau wedi'u gwneud i mi. Edrych ar rhain – doedden ni'n ddau foi smart?'

Chwarddodd Owain.

Trodd i edrych ar yr arena islaw a gwylio sêr y Gleision yn rhedeg ar y cae. Roedd hon yn gêm wych ac roedd hwn yn lle hudolus. Trodd draw i edrych ar y pyst lle y ciciodd o'r pwyntiau tyngedfennol, a ble y gwelodd Dic am y tro olaf, a gwenu.

Nodyn gan yr awdur

Mae cymeriad Dic yn *Ysbryd Rygbi* wedi'i seilio ar chwaraewr rygbi go iawn o'r enw Dick Gordon, fu farw yn 1880. Roedd yn chwarae i Gastell-nedd. Mae pob cyfeiriad arall at gymeriadau, yn fyw neu yn farw, yn gwbl ddychmygol.

Yn ôl yr hanes go iawn, roedd Dick Gordon yn hanerwr addawol. Roedd yn wibiwr eithriadol o gyflym – yn bencampwr Cymru yn y ras chwarter milltir. Yn drist iawn, cafodd ei anafu mewn gêm rygbi rhwng Castell-nedd a Phen-y-bont ar Ogwr yn 1880. Er ei anaf difrifol i'w ysgwydd, cafodd gyngor i fynd adref er mwyn gorffwyso a gwella. Bu farw ychydig o wythnosau wedi'r ddamwain, ac yntau ddim ond yn 27 mlwydd oed.

Y traddodiad yw fod Clwb Rygbi Castell-nedd wedi dewis gwisgo crysau duon fel arwydd o barch tuag at eu chwaraewr disglair, Dick Gordon. Cawsant yr enw 'Crysau Duon' chwarter canrif cyn i dîm o Seland Newydd dderbyn yr enw hwnnw ar ei daith o wledydd Prydain yn 1905.

Sefydlwyd Undeb Rygbi Cymru yn 1881. Petai Dick Gordon wedi byw, mae'n debygol y byddai'n un o chwaraewyr cyntaf y timau rhyngwladol Cymreig.

**Yr ail yn y gyfres hon o nofelau
am goleg rygbi Craig-wen**

*Llawn cyffro ... ffrindiau'n ffraeo ...
ysbrydion o'r gorffennol ... tymor i'w gofio!*

www.carreg-gwalch.com